総合判例研究叢書

刑事訴訟法 (1)

有斐閣

序

フランスにおいて、自由法学の名とともに判例の研究が異常な発達を遂げているのは、その民法典が百五十余年の齢を重ねたからだといわれている。それに比較すると、わが国の諸法典は、まだ若い。最も古いものでも、六、七十年の年月を経たに過ぎない。しかし、わが国の諸法典は、いずれも、近代的法制を全く知らなかつたところに輸入されたものである。そのことを思えば、この六十年の間に極めて重要な判例の変遷があつたであろうことは、容易に想像がつく。事実、わが国の諸法典は、それに関連する判例の研究でこれを補充しなければ、その正確な意味を理解し得ないようになつている。

判例が法源であるかどうかの理論については、今日なほ議論の余地があろう。しかし、実際問題として、多くの条項が判例によつてその具体的な意義を明かにされているばかりでなく、判例によつて特殊の制度が創造されている例も、決して少くはない。判例研究の重要なことについては、何人も異議のないことであろう。

判例の創造した特殊の制度の内容を明かにするためにはもちろんのこと、判例によつて明かにされた条項の意義を探るためにも、判例の総合的な研究が必要である。同一の事項についてのすべての判決を探り、取り扱われた事実の微妙な差異に注意しながら、総合的・発展的に研究するのでなければ、判例の研究は、決して終局の目的を達することはできない。そしてそれには、時間をかけた克明な努力を必要とする。

幸なことには、わが国でも、十数年来、そうした研究の必要が感じられ、優れた成果も少くないようになつた。いまや、この成果を集め、足らざるを補ない、欠けたるを充たし、全分野にわたる研究を完成すべき時期に際会している。

かようにして、われわれは、全国の学者を動員し、すでに優れた研究のできているものについては、その補訂を乞い、まだ研究の尽されていないものについては、新たに適任者にお願いして、ここに「総合判例研究叢書」を編むことにした。第一回に発表したものは、各法域に亘る重要な問題のうち、研究成果の比較的早くでき上ると予想されるものである。これに洩れた事項でさらに重要なもののあることは、われわれもよく知つている。やがて、第二回、第三回と編集を継続して、完全な総合判例法の完成を期するつもりである。ここに、編集に当つての所信を述べ、協力される諸学者に深甚の謝意を表するとともに、同学の士の援助を願う次第である。

昭和三十一年五月

編集代表

小野清一郎　宮沢俊義

末川博　我妻栄

中川善之助

目　次

自白の任意性

平場安治

補強証拠

中武靖夫

自白の任意性

平場安治

はしがき

自白の任意性の問題は、実務上も最もしばしば争われる問題であり、又理論上も相当の難問を含み未だ充分に解決済みだとは考えられない。それだけに判例の数も多く又多岐にわたつている。その判例を体系的に整理するだけでも容易な仕事でないが、ただ横井大三氏の「判例自白法」の開拓者的労作があつた為大いに助かつた。なお判例変遷史的考慮も加えたいと思つたが、新刑訴以来の問題で歴史も浅く、その間変遷に見るべきものもなかつたので、このような考慮を一部に止まつた。判例についてはできるだけ多く集めるのに努めた。この関係では、特に、大阪地方裁判所判事補小瀬保郎君、京都地方裁判所判事補尾中俊彦君、京都大学法学部大学院学生光藤景皎君のお世話になつた。記して感謝の意を表する。

一　序　論

一　問題の所在

自白の任意性が、刑事訴訟法上問題になつたのは、現行憲法・現行刑事訴訟法が効力を発生して以来である。旧憲法の下、旧刑事訴訟法の下においても、証明力の点において、又は証拠禁止の点において問題になし得なかつた訳ではないのであろうが、直接の明文を欠いていた当時においては問題になることも少なく、判例においても、この問題を対象としたものは見当らない。然るに、昭和二一年一一月三日成立、昭和二二年五月三日施行の日本国憲法は、その三八条において、「何人も、自己に不利益な供述を強要されない。強制、拷問若しくは脅迫による自白又は不当に長く抑留若しくは拘禁された後の自白は、これを証拠とすることができない」と規定し、又それと同日に施行された刑訴応急措置法は、その一〇条において、憲法三八条二項と同一の条文を掲げていた。その後昭和二四年一月一日には、現行刑事訴訟法が施行せられ、その三一九条一項及び三項は、それぞれ、「強制、拷問又は脅迫による自白、不当に長く抑留又は拘禁された後の自白その他任意にされたものでない自白は、これを証拠とすることができない。」及び「前二項の自白には、起訴された犯罪について有罪であることを自認する場合を含む。」と規定し、更に同三二二条一項は、自白以外の被告人に不利益な事実の承認を内容とする供述書・供述録取書についても、「第三百十九条の規定に準じ、任意にされたものでない疑があると認めるときは、それを証拠とすることができない」と規定するに至つた。

そこで、憲法‖刑訴応急措置法と刑事訴訟法とでは規定の体裁上二つの点で相違が認められる。第一には、憲法＝刑訴応急措置法では、単に自白というに止まつていたが、刑事訴訟法では有罪である旨の自認や被告人の自己に不利益な事実の承認についても不任意なものは証拠にならないこととして、自白といえるかどうか明瞭を欠く限界的場合を立法的に解決したことである。第二には憲法＝刑訴応急措置法では、強制・拷問・脅迫による自白と不当に長い抑留・拘禁後の自白のみが、そしてそれ自体が証拠能力を欠くこととしていたが、刑事訴訟法では「その他任意にされたものでない疑のある自白」という文言を付加して、不任意の自白一般に証拠能力のない自白の範囲を拡張し、挙証責任の問題にまで及んだ。かくて、新憲法下旧刑事訴訟法と刑訴応急措置法により審理されていたいわゆる旧法事件と現行刑事訴訟法により審理される新法事件によりこの問題に対する判例に若干の差異を見るのは自然である。かくして自白の任意性に関して、もし判例法史的に取扱うとしてその区分は旧刑事訴訟法時代を第一期とし、応急措置法時代を第二期とし、現行刑事訴訟法の時代を第三期とすることになろう。そのうち第一期については語るべきものは何もない。第二期と第三期については判例に若干の差異を看取しえないでもない。然し両者の規定の差異は実質的にも形式的にも大した差異でないこと、応急措置法時代が短かく、応急措置法で処理される事件であつても既に新刑事訴訟法が一方では施行されているといつた場合が多かつたから、いきおい両者の差異は大したものでなく、ほとんど一本の発展の線だといつても過言でない。

そこで、本稿では現行法である刑事訴訟法三一九条一項に従つて、一　強制・拷問・脅迫による自白　二　不当に長く抑留又は拘禁された後の自白　三　任意性に疑いのある自白　としその他特殊問題として　四　任意性の立証　五　不任意の自白と被告人の同意及び証明力を争う証拠の問題につき判例の立場を検討して見たいと思う。なお、その前提として、自白その他不任意性が問題となる証拠の一般的考察と不任意の自白が証拠とならないことの立法理由を論じて、序論とすることにする。

二　任意性が問題となる証拠

任意性の問題となる証拠の代表的なものは自白である。自白の外に自白に準じられるものに有罪の自認及び被告人の自己に不利益な事実の承認がある。その他供述書、供述録取書一般について任意性の調査を要求されているところから、公判外の供述一般につき任意性のないものは証拠能力を奪われるのではないかとの疑問がある。

先ず、自白の定義については、ウイグモアの「犯罪事実又はその本質的な部分につき、明示的言語により被告人がした承認」というのが標準となり、或は、「被告人の自白とは、被告人が犯罪事実について有罪であること(自己の刑事責任)を認める供述をいう。従って犯罪の構成事実の全部又は主要部分を認めるものでなければならない」(田中和夫・証拠法二一〇頁)とせられ、或いは、「自白とは被告人(被疑者)が犯罪事実の全部又は一部について自己の刑事責任をみとめる供述をいう」(団藤重光・新刑事訴訟法綱要四訂一七三頁)としている。その他の教科書に現れた定義について見ても、いずれも大同小異である。そしていずれも公判廷におけるものであると公判外であるとを問わず、又相手方も裁判所や捜査機関に対するものであると私人に対するものであるとを問わずとせられる。これらの点については、別段判例はないが、ただ備忘的記載につき、

【1】「被告人が犯罪の嫌疑を受ける前にこれと関係なく自らその貸借関係を備忘のためそのつど記入した手帳はいわゆる自白にあたらないものと解するのが相当であつて、これは被告人の自白に対する補強証拠とす

ることができる」（仙台高判昭二七・四・五 刑集五・四・五四九）。としている。これは自白にあたらない所以を犯罪の嫌疑以前にそれとは関係なしの供述である点に求めているのか、それとも備忘のための記載であつて、他人に対する通告を予想しない点に求めているのか明らかでないが、そのいづれの理由からしても自白に当らないとするのは不当である。むしろ自己に不利益な事実の承認であつても、犯罪事実そのものの承認でない点において、自白ではなく自己に不利益な事実の承認（刑訴三二二条）であるから補強証拠にできるということに根拠を求めるべきではないかと考える。

次に刑訴三一九条三項の「自認」が問題となる。有罪であることの自認とは英米法にいうアレーンメントの有罪の陳述（plea of guilty）のようなものを指すと考えられるのであるが、証拠を以て経験的事実の報告と解する以上、有罪であることの自認が直ちに証拠になると解するのは困難である。むしろ三一九条三項は、アレーンメントの制度を認めないこと（即ち有罪であることの自認があつても他の証拠調を省略し得ず、且つ他の証拠根拠を必要とし、民訴のように弁論の全趣旨によることを認めないこと）を示した規定と解するのであり、又このように解することによつて二九一条の二が有罪である旨の陳述があつたばあい簡易公判手続の決定をなしうるのと統一的に解しうるものと信ずるのである。（但し、通説は二九一条の二の有罪である旨の陳述を自白と解し、そこから証拠につき争わない意思を推定している）。ただかく解することによつて第一項の不任意性との関係で自認が証拠能力を喪失することの説明が困難となる（かかる意味での自認が強制等に基くばあいはほとんど考えられないが）。私は自認の当事者的訴訟行為の効力を否定する趣旨に（従つて簡易公判手続の決定をなし得ない趣旨に）解しえないかと思うものであるが、それが無理とするも、自認と自白の限界が不明瞭であり、自白でなく自認だからというので証拠能力を認めさせようとするのを防止したものと考える。判例は或いは、公判の冒頭における公訴事実を認める趣旨の被告人の供述を自認としつつ三一九条三項から当然自白と同様に証拠となるとするもの、例えば、

【2】「原審冒頭において検察官の起訴状朗読に対し『公訴事実は間違いないので別に陳述することはない』旨供述しているのであつて、被告人の右供述が刑事訴訟法第三一九条第三項に照らし同条第二項の所謂自白に包含せられ」る（広島高岡山支部判昭二四・一一・一六特一・二四〇）。

【3】「原判決挙示の被告人の原審公判廷の供述は、弁護人所論の通り、罪状認否に関する供述には相違ないであろうが、この供述も刑事訴訟法第三一九条第三項によつて、公判廷における自白と同視されるものであるから、本件につき被告人の自白なしとする所論は到底理由がない」（福岡高判昭二四・一一・一六特一・三〇七）。

及び、先の冒頭手続の公訴事実の承認には自己の犯罪事実に対する体験的告白即ち自白を含むとするもの、例えば、

【4】「原審公判調書によれば、被告人等は孰れも同公判廷において『事実はその通り間違なく別に申上げることはありません』と述べ、抽象的ながらも犯罪事実を自白しており、原審は該自白を他の証拠と綜合して犯罪事実を認定したものであること洵に明白である。而して右自白が弁護人のいわゆる冒頭訊問に対する答であり且その内容が前示のように抽象的であるからといつて直ちにこれを犯罪事実認定の資料に供するは実験則に照して採証の方法を誤つたものだと断じ難い」（福岡高判昭二四・六・二八特一・四五）。

結局は冒頭手続における被告人の起訴状記載の事実を承認する旨の抽象的陳述を、単に公訴事実を争わない趣旨の当事者的訴訟行為としての自認と見るか、それとも自己の犯した犯罪事実を報告する証拠の提出即ち自白をも含むと見るかは訴訟行為の解釈の問題であり、次の判例は比較的この点を明

確にしている。

【5】「刑事訴訟法第三一九条第二項の陳述は、検察官が起訴状を朗読した後に被告人は裁判長から黙秘権を告げられた上右起訴状に関し答弁することはないかと問われたのに対して被告人がする陳述である。この場合被告人は、……黙秘権を行使すればよいにもかかわらず、本件被告人は『私に関する部分についてはその通り相違ありません』と述べて事実を争わない旨答弁したのである。そしてかかる被告人の陳述を自白と解するか否かは審理の結果裁判所がその裁量で判断し得るところである」(最判昭二五・八・九判タ五・四〇)。

ただ、このようにして経験的報告が含まれるとしても、その証拠価値については余程の注意を要するであろう。その意味で次の判例は注目に価する。

【6】「(記録によると)、本件において被告人は原審公判期日の冒頭に裁判所から刑訴二九一条二項、刑訴規則一九七条一項の事項を告げられたうえ被告事件についてはそのとおりであつて別に争うこともない旨述べ、原審はこの陳述と各被害者の被害届、被害始末書とによつてその判示する窃盗事実を認めたものであることが明らかである。しかし、原審において右被告人の冒頭陳述の後、証拠として順次朗読せられた書類の中の被告人および原審相被告人Tの各供述調書の内容は所論に詳細援用するとおりであつて、これによれば、公訴事実中とくに第一・第二事実の犯意については被告人の右陳述とははなはだしくその趣旨を異にするものであり、しかも原審が取り調べたその他の各証拠に照らしても、これらの記載が不合理で信用できないものとは容易に考えることができないものであるから、これを前記被告人の冒頭陳述と考え合わせるときはその間の不一致ひいては右冒頭陳述の真意に出たものであるかどうかについて何人も疑いを起さないわけにはいかないものである」(東京高判昭二五・五・二六刑集三・二・二〇一)。

とくに、有罪である旨の自認が、刑事責任あることの承認であるばあい、被告人の法律知識の不足の故に、誤解に基くことがありうる。アレーンメント制度の危険性の重大な根源である。次の判例は冒頭手続におけるいわゆる罪状認否の段階でなされたものでなく、それ以前に検察官に対してなされた事例であるが、この危険性を認めている点で注意を要する。

【7】「窃盗罪の成否が、被害物件の帰属が被告人にあるか、被害者にあるかの法律関係の解釈如何にかかつている事件において、被告人が検察官に対し窃盗の事実を自白（叙上法律関係構成事実について自己に不利な供述をしたことを含む）し、原判決がこれを採用したことに対し、……原判決引用の被告人等の検察官に対する各供述調書中には右所有権移転の点を正解せず、且つ代金の調整もしていないところから、窃盗の点を自白しているかのような記載がないでもないけれども、右は被告人等において法律知識に乏しいためその法律関係を十分理解しなかつた為と光市が日鉄との契約に因つて負担する義務を怠つて居る弱点を持つ為とに出た供述であると認められ、完全な自白とは認め難い」（広島高判昭三〇・六・四高裁特報二・一一・五六三）。

本件では「完全な自白とは認め難い」として法律的判断を逃げているが、この点は次のように考えるべきであろうか。先ず法律関係の知識を欠けていたとしても、自らの体験した事実を事実として述べている部分は証拠としても差支ない筈である。これに対して法律に対する無知から「窃盗の事実を自白」したとあるのは、単に自分が刑事責任を負う旨の自認だと解すべきであり、しかも単に本人の法律的判断の表白に過ぎないから証拠にならないものと解すべきであろう。

なお、自白に準じて任意でなければ証拠にならないものに、被告人（被疑者）の自己に不利益な事実の承認がある（刑訴三二二）。これは自白に至らない自己に不利益な実体法上の事実を承認するものをいう。不利益な事実の承認はこのように任意性を必要とする反面特に信用すべき状況下になされたことを要しない（東京高判昭二五・三・二五特八・四二は、かかるものにつき、とくに信用すべき状況にあつたことを説示しているが、これは無用の説示である）。有利不利はもちろん客観的に決すべきである。しかし、不利益な供述ということを以て信用すべき情況に代替するものと見る立場からは、主観的に即ち不利益性を知つて供述するを要するのではなかろうか。

三　不任意の自白の証拠能力喪失の理由――証拠禁止

不任意の自白が証拠にならない理由については、いわゆる虚偽排除説と人権擁護説が対立している。虚偽排除説は、いわば通説ともいうべき地位にあり、不任意の自白には虚偽自白の介入する余地が多く、真実発見を誤らせる虞が大きいから、予め証拠能力を奪つておくのだとするのである。然し、この説に対する批判としては、強制等による自白が必ずしも虚偽の自白を意味するものではなく、むしろ頑迷な被告人は強制等の圧力によつて始めて自己の犯行の真実を語るものであることは常識の認めるところであり、又捜査機関が真実発見に熱心の余り強制拷問を加える心理的基礎でもある。又不真実性が不任意の自白を排除する根拠であるならば、自白の真実性を確認せしめる他の証拠が存在する限り、たとえ自白そのものは強制拷問によるとか、その他職権濫用によつて得られたとしても排除する理由がないこととなり、憲法三八条二項の趣旨は無視せられることになるであろう。更に強制による自白は証明力を争う証拠（刑訴三二八）としても使用を許されず、同意によつても証拠能力をも回復せず（同三二六――但しこの点については争があり、後に述べる）とする趣旨からはおそらく自由な証明の証拠としても用うるを得ない趣旨と解すべきであり、一般の証拠能力の制限とは体系的地位を異にするものと考えなければならないであろうことを指摘せざるを得ない。

他方人権擁護説は、刑事訴訟法第三一九条第一項が、憲法第三八条第二項の具体化であり、しかも憲法第三八条第二項が同第一項の保障規定と解されるところから、これは要するに被告人の黙秘権を破つて得られた自白を証拠に用いることを許さない趣旨だと考える。即ち、憲法は拷問の禁止や自己負罪の特権を設けて被告人の人権擁護を計つているのであるが、それが単に憲法上の宣言とか、特別公務員の職権濫用罪とか暴行陵虐罪とかの刑の加重だけでは充分ではない。このような拷問による自白や自己負罪の特権を違法に破つて得た自白の証拠としての使用を禁ずるのでなければ、人権擁護の点で完全を期しえない。又一方で法の禁じる証拠を他方で認めて有罪の基礎とするのも正義の府としての裁判所の態度としては一貫を欠く、このような考慮から違法な強制その他の方法によつて得た自白を法廷に顕出することを禁ずるのがこの規定だとするのである。人権擁護説に対する批判としては、強制拷問等による自白を直接証拠とした憲法第三八条第二項においてならばとも角、それらの自白も要するに不任意の自白の一例示だとする刑事訴訟法第三一九条第一項の問題として考える限り、自白の動機の評価とならざるを得ず、自白を迫る側の事情をのみ考慮して自白をする側の事情を考慮しないことの不適当が当然考慮せられるべきであるし、殊に、それ自体としては重大な人身侵害ではないに係らず自白の自発性を害する「約束」(promise)等が不任意の自白から脱退することがあげられるのである。要するに「虚偽排除説」からであれ、「人権擁護説」からであれ一方的に自白の不任意性を決定するのは困難であつて、既に「自白の不任意性」という範疇的概念が設定されている以上、この両説を考慮しつつこの概念のワクを決定すべく、それ以上に何れかの立場を目的論的に貫くばあいには別個の概念(例えば「証拠禁止」といつた)によるべきであろうと考える。

判例においては、はつきりといづれの立場によつたと明示したものはない。ただ後述の【16】―【22】のように、不当に長い抑留・拘禁にあたらないことの理由として抑留・拘禁の必要性を言うものは「人権擁護説」的であり、又【40】【47】のように誘導・詐術が虚偽自白を導くものでないことを理由に自白の不任意性を否定するものは「虚偽排除説」的である。このように判例においても二つの見地が考慮されてはいるが、ただ注目すべきは自白の任意性を救う方向において競合的に考慮されていることである。ここにも自白の任意性を緩く解しようとする判例の根本的傾向がうかがわれるようである。

尚強制等による自白が他の証拠（例えば、自白に符号する兇器の発見）により、その真実性が証明せられたようなばあい、なお任意性を失わないものかどうかについての判例が出れば、この問題に対する判例の立場は決定的となるものと思われるのであるが、未だ、これに対する判例はないようである。

二　強制・拷問・脅迫による自白

刑事訴訟法第三一九条第一項は、先ず証拠にならない自白として強制・拷問・脅迫による自白をあげている。これが不任意の疑のある自白の例示であることは疑がないが、不任意の疑のある自白と擬制しているものかどうかは問題である。そのいづれと解するかの差異は、強制・拷問・脅迫によった自白でも尚任意にされたものである疑がないとして証拠としうるかどうかにある。私見によれば、憲法第三八条第二項が任意性に疑のある云々の字句を含まず、強制・拷問・脅迫による自白を端的に証拠にならないとしていることそして刑事訴訟法第三一九条第一項がその具体化であることから、擬制規定であることは一点疑を差し挾む余地はないと信ずるものであるが、判例には一見逆の立場を採つたのではないかと疑わしめるものがある。即ち、

【8】「本件の取調に当った司法警察員Kは、被告人等を取り調べるに当り、被告人等に対し、鉄筆の頭部で額等をついたり、平手で顔を欧打する等の暴行を加えたことが認められ、また検察官が坂本警察署において

M（註……被告人）を取り調べた際には、右Kがその場に在席して自白を促し、東京地方検察庁において検察官が被告人等を取り調べた際には手錠をかけた儘取り調べたこともあることが認められるので、右取調の経過、本件被疑事実の性質内容、被告人の年齢、経歴、地位等を綜合考察するときは、被告人等の司法警察員並びに検察官に対する自白はいずれも任意性に疑があるものと認めるのが相当である」（東京高判昭三一・一・一四　高裁特報三・一二合併・五）。

しかし、本判決は強制と自白の因果関係を不明と見たものであろう。思うにこのようなばあい、第一次的に強制による自白ではないかが審査され、それが否定されるか疑問があるばあいに第二次的に任意性に疑があるか否かを審査すべきものである。ところで強制があつたことは明白であり、ただその強制によつたかどうかが問題なのであろう。この判例はこの点の判断を逃げて第二の任意性の問題に移したと思われるのであるが、然し、この因果関係は簡単に認定されてよい。このばあいいわゆる虚偽排除説を採れば、おそらく、不実の自白をなさしめる程度の強制云々ということになり、可なり強度のものを予想すると共に現実の因果関係（しかも相当因果関係説的意味での）を要求することになろう。然し、強制云々が憲法に基礎を置くものである以上、人権擁護説的見地を重視すべきだと考える。そうすると黙秘権を破る強制という点が重視せられ、自白はただその結果として条件関係があれば足りるということになるのである。しかも強制に近接して自白がなされその間に別段の事情が介入しない限り因果関係は推定せられるのである。

なお、強制による自白とその後別の機会になされた自白との間の因果関係の問題につき——判例は間接強制という言葉を使つているが——若干の判例がある。

【9】「仮りに被告人の警察官に対する供述が強制によるものであり、且つ公判廷における自白内容がそれと全然同じであつたとしても、後者は何等強制を加えられないで任意に為されたものであるから、これを間接

強制とは断言できない。況して本件の場合、原判決が証拠として採用した原審公判廷における被告人の供述については、被告人が『第一審公判廷の自白中事実に反する部分は原審で真実の供述に変更した』ことを、弁護人自ら認めている位であるから、その自白が所謂間接の強制によるものでないことは、一層明かであろう」(最判昭二三・一一・五 刑集二・一二・一四七三)。

本件の述べているところは抽象的にはもちろん正当であるが、前の強制がのちの自白に影響を及ぼさないとは一般的に断言できない。とくに警察における強制と検察官面前における自白との関係については注意を要する。その点では次の判決は問題を含んでいる。

【10】 (事実及び弁護人の控訴趣意) 被告人の公判廷における供述によると、「警察署では認めるような陳述をしましたが、それは強要されたからであり、自分には覚えなし、……」「検察官の取調べのとき何故否認しなかつたかとのことですが、検察庁と警察署とは連絡があるので、どうせ否認してもどうにもならん、裁判所で否認すればいいと思つて否認しなかつた」とあり、弁護人の控訴趣意は、右自白は刑訴三一九条の所謂「任意にされたものでない疑のある自白」に該当すると思料する。……即ち警察と検察庁とは一体のものであるから云々の認識自体が錯誤であり且つ、此の錯誤に基き意思表示されたのであるから、……その供述の原因において錯誤あり、結果に於て被告人の真実の意思と異るものであるとする。

(判旨)「所謂任意にされた自白とは、外部的圧力に何等妨げらるることなく、正常な自発的意思決定に基き為されたものであれば足り、其の自発的意思決定が為された縁由の如きは、之を問うを要しないものと解するが故に、縦令所謂自白が所論のように縁由の錯誤に基くものであるとしても、斯の如き縁由の錯誤のみを以てしては、未だ右自白が其の正常な自発的意思決定に基き為されたものでないとはなし難く、延いては之が任意にされたことを疑うべき余地は毫も存しないのであるから、此の点に関する所論は当らない。而して前記検察官の各供述調書を閲すれば之が所論司法警察員の供述調書を全面的に援用して居るものでないことが明らかであるから、若し仮に所論司法警察員の供述調書が所論のように強要に基くものであるとしても、之が為に前記検察官の各供述調書の証拠能力に何等影響あることなし」（名古屋高判昭二五・九・二〇特一二・七五）。

問題は縁由の錯誤として処理されているけれども、正しくは強制の影響の残存という見地から因果関係の問題として処理せらるべきである。そして検察調書が司法警察員調書を援用しているかどうかが問題ではなく、司法警察員の取調の際における強要の影響が検察官の取調の際にも任意性を害する状態において作用したかどうかが問題なのである。そしてこの点の調査を充分とげないで単なる縁由の錯誤という形式理論で「証拠能力に何等影響あることなし」とした本判決は到底われわれを説得するものではない。然し他方次の二つの判例は少くとも問題の所在を正確に示しているということができよう。

【11】「検事に対する被告人の自白がその一両日前警察署における刑事の取調の際に長時間にわたる肉体的苦痛を伴う尋問の結果なした自白を反覆しているにすぎないのではないかとの疑いが記録上きわめて濃厚であつて、かかる疑いを打ち消すべき特段の事情を発見することができないにもかかわらず、警察における前示肉体的苦痛と検事に対する右自白との間に因果関係がなかつたかどうかについて十分審理を尽さず、この自白を事実認定の証拠としたのは審理不尽の違法がある」（最判昭二七・三・七刑集六・三・三八七）。

【12】「警察における供述につき被告人等の不利益な供述の任意性を認めえない以上、知識の程度も高くない被告人等が其後幾ばくもなくしてなされた検察官の取調について多大の心理的影響を受けていることは否めないものというべく、被告人等が検察庁に対して警察以上恐怖の念を抱いていたと原審公判廷において供述したことも直ちにこれを否定できないと云うべきであるから、検察官が被告人等に対し直接強制を加えなくとも不任意な供述のあることが考えられる」（仙台高判昭二五・一〇・一九特一三・一八八）。

強制・拷問・脅迫の個々の区別は必しも重要ではない。要するに心理的物理的圧力により不任意の自白をなさしめるような力であればよい。判例も亦、これらの詳細な区別を行つているものは見当らない。ただ判例の傾向としては、強制・拷問・脅迫による自白を認めるのに極めて慎重であるということがいえる。上例【8】が強制の事実を認めながら、強制による自白とは認めず、任意性に疑があることを根拠にしたところにもこの傾向がうかがわれるが、次の判例は正面では自由心証の限界を論じたものであるが、強制による自白を過度に認めまいとする下級審の態度に対する頂門の一針という意味でこの問題に関連して来ると思う。

【13】　「被告人を取り調べた警察官のうち、甲は『被告人に手錠をはめたまま取り調べた』、乙は『警察官四人がかりで取り調べた』、丙は『警察署長某は午前二時頃まで被告人を取り調べたがそのとき被告人を欧つた』『被告人が昼食時頃警察署内で自殺を図つた日の午後に自白した』など公判廷で証言しているにもかかわらず、被告人の警察官丙に対する自白調書を採証した原判決は、本件のごとく特段の事情のみるべきものがないにかかわらず、右の各論言を措信するに足らないとした点に違法がある」(最判昭二六・七・一刑集五・九・一六八四)。

三　不当に長く抑留・拘禁した後の自白

刑事訴訟法第三百一九条第一項は、次に、同じく不任意の自白の例示として、且つ不任意の自白を擬制するものとして「不当に長く抑留拘禁した後の自白」を掲げている。以下それに関係する諸問題についての判例の態度を見ることにする。

一　「不当に長く」の評価基準

抑留(短期の身体拘束、それがたび重なつて不当に長くなるばあいが考えられる)拘禁(長期の身体拘束)が「不当に長」いかどうかは、もとより規範的概念であるから、これを一律に決しうる標準を発見することはできない。結局は具体的事例についての判決の集積を俟つより致し方がないということになるのであるが、ただ評価標準を決めるに当つて、いわゆる虚偽排除説的態度を採るのと人権擁護説的態度を採るのとによつて、そこには自ら若干の差異が生ずるであろうことは容易に考えうる所である。虚偽排除説からは一応虚偽の自白をしてでも釈放を求めたい程度の精神的肉体的苦痛が標準となり、通常その程度の苦痛を与えるであろうような長期的身体拘束の有無が標準となろう。これに対して人権擁護説からもこの程度の苦痛が自白をすると否との自由即ち黙秘権を破るものとして不任意の自白を結果すると考えられるが、尚その外拘禁する側において不必要に拘禁したかどうか自白を得る目的のために拘禁したかどうかということも「不当に長」いか否かを決するに重要な基準になると考えられる。この点の判例は、明らかに人権擁護説的であるが、むしろ拘禁の必要性を強調して長期拘禁を救済する方向に向つている点において疑問を感じさせる。

二　不当に長い抑留・拘禁後の自白であることを認めた事例

先ず、不当に長く抑留・拘禁した後の自白とした事例から見ていこう。例は極めて少い。私の知り得たものとしては、次の三件がある。

【14】（事実）　店の軒下に置いてあつた自転車のハンドルに吊してある掛鞄一個（内容は、現金千五百円、預金通帳、黒皮二つ折札入一個、足袋一足、飯盒一個）を窃取し、一〇分後五町と離れていない場所で逮捕（昭和二二年一月七日午後五時三〇分）、一月十六日勾留、一月二十五日勾留のまま起訴、二月二十七日、三月二十日の二回公判に付せられ三月二十五日に有罪判決、被告人から控訴、五月五日第一回公判で自白即日保釈決定、その間一〇九日の勾留をうけている。

〔判旨〕「事実は単純であり数は一回、被害者も被疑者も各々一人で、被害金品は全部被害後直ちに回復せられて、現に証拠品として押収せられているほとんど現行犯事件といつてよいほどの事件で、被告人の弁解（二〇才から二五才まで位の一人の陸軍払下ようの外套を着た一面識もない通りがかりの青年から、汽車賃に困つているから買つて呉れといわれて、そのいい値のまま三〇円で買つた……筆者）も終始一貫している。被告人が果して、事件窃盗の真犯人であるかどうかはしばらくおいて、事件の筋としては極めて簡単である。被告人が勾留を釈かれたからといつて、特に罪証湮滅のおそれのある事件とは考えられない。又被告人は肩書のように、一定の住居と生業とを有し、その住居には、母及び妻子の六人の家族があり、尚、相当の資産をもつていることは、記録の上で十分うかがわれる。年齢も既に四十六才である。かような情況から考えて、被告人が逃亡する危険もまずないと考えなければならない。とすればほかに、特段の事情のうかがわれない本件においては、被告人に対して、あれ程長く拘禁しておかなければならぬ必要は、どこにもないのではないか。ただ被告人が犯行を否認しているばかりに――言葉をかえていえば被告人に自白を強要せんがために、勾留をつづけたものと批難せられても、弁解の辞に苦しむのではなかろうか。以上各般の事情を綜合して本件の拘禁は不当に長い拘禁であると断ぜざるを得ない。しかして第二審裁判所がこの拘禁の後に、はじめてした被告人の自白を証拠として、被告人に対し有罪の判決をしたことは……憲法第三八条第二項の厳に禁ずるところである」（最判昭二三・七・一九刑集二・八・九四四）。

本件では、勾留の必要性がないことを理由にして、勾留が不当に長いことを認めている。即ち勾留の必要がないのに長期勾留を行つたことから、それが自白強要の目的のための勾留だと推測されてもしかたがないとしている。ここに勾留の必要性を重視する判例の考え方の基礎が現れている。即ち長期拘禁がその苦痛において、事実上自白を強要するというのではなくて、理由もない長期拘禁は自白強要の目的とするものと推測される根拠ともなり、そこに勾留についての価値判断が介在する。そこから、長期拘禁があつても勾留の必要のあるばあい及び長期拘禁が結局被告人の責に帰すべきばあいには不当に長い抑留拘禁でないとする、後に述べる判例の態度が出て来る訳である。事実本件では、起訴後第一回公判期日まで三四日、第一審判決後第二審公判期日まで約四〇日即ち審理に直接関係のない勾留日数が七〇余日に及んでいる。これが勾留の必要性につき判示のような判例を生む重大な理由ではなかろうか。

第二の判例では被告人の病気という事情がつけ加わる。

【15】「本件は単純な二個の窃盗事件（被告人外四名共謀の上、長野県専売局倉庫からピース五四〇〇〇本その他を窃取し、約二ヶ月後甲府市の農業倉庫から綿織物四三九反その他を窃取――筆者）であつて、その取調にも記録の整理にも多くの日数を要するほどの困難な事件ではない。そして被告人は逮捕されてから原審の公判が開かれるまで六ヶ月一〇日間引続き拘禁されていたのであつて、その間終始犯行を否認していたのだが、右の公判廷で始めて自白するに至つたのである。しかも、被告人は、拘禁の途中から拘置所内の病舎に収容されるほどの病気になつたが、これがため公判の審理が延期されて長引いたというようなこともなく、原審は一回の公判で審理を終つている。そして被告人は、その公判に病舎から出頭して自白した上身柄の釈放を求めているのである。このような事情を綜合して判断すると、被告人が原審公判廷でした自白はまさに憲法第三八条二項にいわゆる不当に長く拘禁された後の自白に当るものというべきであつて、これを証拠とすることは、憲法の右の条規に違反するものである」（最判昭二四・一一・二 刑集三・一一・一七三二）。

本件では、四月二四日逮捕、同二六日勾留、五月四日起訴、同二八日第一審有罪判決、控訴、その後六月上旬から食道部の通過障碍、嘔吐、胸内苦痛により拘置所内の病舎に収容、一〇月一四日原審の記録が送付され一一月二日第一回公判被告人は病舎から出頭従来終始否認し続けていたのを自白した上「病気を早くなおすために家庭に帰して下さい」と訴えており、同八日保釈を受けている。

拘留が不当に長いかどうかを決するには形式的な勾留日数の長さだけでは決定されず、被拘禁者の健康状態や拘禁場所や拘禁状態をも考慮しなければならないことは如何なる立場からも是認されなければならない。しかも病気中の拘禁が自白を強要したのではないかと推測せしめることは、六ケ月余終始非認して来ているのを自白の上釈放を許えていることからも充分うかがえる。尚それにしても、第一審判決後五ケ月強の勾留をうけたこと、しかも判例の判断するところによれば病気のために公判の審理がおくれた訳でもないようであるから、前の例における同様、審理に関係のない勾留が五ケ月余あるという点を注意しなければならない。

さらに、第三の例では病気の事情に代つて被告人が少年であつたという事情が付け加わる。


【16】（事実）　被告人は、昭和二十二年八月十二日放火罪で逮捕、同十四日尾道警察署に勾留、同二十三日勾留満期になつたが放火罪について公訴を提起せず、当日恐喝罪により前記警察署で再逮捕、同二十五日恐喝罪で勾留、九月三日恐喝罪につき公訴提起、十一月十日恐喝罪の連続犯通知、同十一日放火罪につき追公判請求、勾留は期間満了毎に常に恐喝の罪名で更新される。二十三年三月三十一日に自白、同年四月七日第一審判決宣告の日に保釈により釈放せられている。

他方、被告人の供述の推移を見るに、被告人は恐喝罪については逮捕された当初から争わず、その事実を認めたが、放火罪についてはその供述に変動があり、当初警察官、検事に対し放火の犯行を認めたこともあるが、その後検事の取調に対しては犯行を否認していたが、後には再び自白し、第一審公判においても自白したが、保釈後控訴審の公判においては終始否認した。そして自白の内容も一貫したものではなく、取調の時期により犯行の手段方法等に関し著しい差異があつた。なお被告人は、本件について勾留された当時十六歳に満たない少年であつたのである。

（判旨）「以上の事実によつて明らかなように、被告人は昭和二二年八月二五日恐喝罪の嫌疑で勾留されると直ちにその犯行を認めたので間もなく起訴されたのであつたが、そのまま継続して拘禁され、問題の昭和二二年三月三一日の自白当時には勾留の期間は七ヶ月余に達していた。本件の恐喝罪は極めて簡単な事実であるばかりでなく被告人は当初からその事実を認めて争わないのであるから、その審判のために被告人の身柄を拘禁する必要は認め難い。しかも、被告人は少年であるからやむを得ない場合でなければ勾留状を発することはできないのである（旧少年法六七条新少年法四八条参照）。被告人は警察署においてすでに放火の犯行を自白したこともあるが、その自白には一貫性がないばかりでなく、取調べの途中では犯行を否認したこともあつて、本件においては自白と拘禁との間に因果関係の存しないことが明らかに認め得られる場合であると言うことはできない（昭和二三年六月三〇日大法廷判決）。このように考察すると、原判決が証拠とした昭和二三年三月三一日の第一審公判調書記載の被告人の自白は、憲法三八条二項にいう不当に長く抑留若しくは拘禁された後の自白に当るものと言わざるを得ない」（最判昭二七・五・一四 刑集六・五・七六九）。

本件では、被告人が少年であり、やむを得ない事情がない限り勾留をしてはならないに拘らず勾留した不当ということもあるが、中心をなすのは、勾留理由となつた恐喝罪については事実は簡単であり且つ当初からその事実を認めて争わないのであるから身柄拘禁の必要はなく、むしろ余罪追究のために勾留が利用せられたと考えざるをえない点にあると思われる。

三　不当に長い抑留・拘禁後の自白にあたらないとした事例

不当に長い抑留・拘禁後の自白であるとの申立を否定した判決は無数にあるが、その主要な根拠は、審理のための拘禁の必要性をいうもの、被告人側の責任又は事務の輻輳をいうもの、勾留と自白の間に因果関係を欠くことをいうものいろいろあるが、因果関係については別に論じることとし、ここではその他の事由について検討することにする。

（一）審理のための勾留の必要をいうもの

通常は、事案の複雑、共犯者や被害者その他の関係人の多数、証拠関係の複雑を理由にしている。例えば、

【17】「被告人が勾留されたのは所論の通り昭和二十一年十二月十九日であり、又被告人の原審における自白は、昭和二十二年六月五日の第一回公判期日以後同年八月三十日の第三回公判を通じてなされているので、右勾留後第一回公判期日迄に約六ヶ月、第三回公判期日迄に二百五十日余を経過していること明らかであるが、本件事案の内容、取調の経過、相被告人の供述内容等諸般の事情に鑑み、右程度の勾留は、未だ不当に長い拘禁とはいえない」（最判昭二三・四・一七刑集二・四・三六四）。

ちなみに、「諸般の事情」といっているのは、大阪から新潟の闇取引先へ八名で強盗に入った事実、相被告人が否認している事実等を指すものの如くである。

【18】「本件は最初共同被告人十名という多数人に対する予審請求をもって開始された事件で、犯罪も相当に複雑多岐に亘っているので、被告人に対する所論拘禁の期間（勾引より第二審公判まで一年三ヶ月――著者）も、直ちに不当に長いものと判断することはできない」（最判昭二三・九・一八刑集二・一〇・一二〇九）。

【19】（要旨）「九ヶ月余の勾留の後になされた自白であっても、被告人の数が九人で犯行は約一年三ヶ月間にわたり、その間単独あるいは二名ないし五名が共謀して強盗傷人、強盗各一件、強盗予備二件、窃盗二三件にのぼる犯罪をした案件においては、右自白は刑訴応急措置法一〇条二項にいう『不当に長く拘禁された後の自白』にあたらない」（最判昭二三・一二・一四刑集二・一三・一七三九）。

【20】（要旨）「原判決が証拠とした被告人甲、乙に対する検事の各聴取書中の自白が、被告人が拘禁さ

れてから一六〇日及び一七三日後になされたものであつても、事件が多数の者が敵味方に別れ相闘争したいわゆる博徒の喧嘩の事案で被告人が五人あり関係人も多数存し、かつ、被告人甲、乙は当初犯行は右両名のみの犯行であると主張し、親分たる被告人丙との共犯であることを秘匿しようとつとめていたような場合には、右自白は、必ずしも刑訴応急措置法第一〇条第二項にいわゆる『不当に長い拘禁後の自白』であるとはいえない」（最判昭二五・八・九刑集四・八・一五六二）。

【21】（要旨）「一〇回にわたる窃盗と銃砲等所持禁止令違反行為とを訴因とし、右窃盗の共犯者三名その被害者一〇名に及ぶ事件においては、被告人の右訴因全部の自白をうるまで未決勾留日数五三日を経過したとしても、右自白を目して不当に長く抑留または拘禁された後の自白とはいえない」（福岡高判昭二五・九・二五刑集三・三・四三一）。

【22】「別件被告人甲、乙の同事件公判調書謄本における自白が仮りに甲において勾留後二ヶ月後、乙において同一ヶ月一〇日後になされたものだとしても、該事件が密航に関するものであり、実質的な共犯関係者も多数にのぼつていたことが該謄本の記載自体によつてうかがえる以上、前示甲、乙の自白は不当に長い勾留後の自白とはいいがたく、従つてかかる場合に右謄本を被告人丙の刑事事件の証拠に供しても違法ではない」（福岡高判昭二六・二・一三刑集四・二・一一七）。

以上のものに対し、やや異つた理由から、審理の必要性をいうものに次の判例がある。

【23】「被告人は第一事実の容疑により昭和三〇年五月三〇日逮捕、翌三一日勾留され爾来司法警察員又は検察事務官により数回取調を受けたが常に否認し、同年七月九日に至り初めて自白するに至つた。……被告人が司法警察員某により第二回目の取調を受けた同年六月三日には甲（共犯者……筆者）も同司法警察員の取調をうけたが、同人は被告人他一名と共謀の上判示第一の犯罪を犯したことを詳細に供述しておるのであるから、これと全く反対の供述をなす被告人に諸種の角度から質問を試みることは職務上当然であり、之が為勾留が若干長引きその後に至り、初めて自白するに至つたとしても、その自白が任意にされたものでないということは出来ない」（名古屋高判昭三一・二・八高裁特報三・六・二四〇）。

（二）　刑罰による拘禁と不当に長く抑留・拘禁された後の自白

不当に長く抑留・拘禁後の自白の拘禁の中に刑罰による拘禁が含まれるかの問題がある。字義からすれば、刑罰により拘禁されているばあいも拘禁に入りそうではあるが、目的論的にいえば、ここにいう抑留・拘禁は自白を強要する作用を果すものを指すものと解すべきであり、刑罰に関する限り判決により確定された刑期による刑罰については不当に長いということは問題にならず、又自白したからといつて釈放の処置を受けるものではないから、自白を不任意ならしめる不当に長い抑留又は拘禁の中に入らないものといわなければならない。次の判例はこの理を示している。事案は確定判決による刑執行中余罪につき追究自白したばあいである。

【24】「被告人の本件賍物故買罪の本犯たるBが他の犯罪についての確定判決に因り所論期間一年以上に亘り拘禁せられていた反面において更に起訴せられた本件窃盗罪につき右拘禁中一年以上に亘り犯罪事実の否認を続けた後初めて自白したことが所論の通りであつても、同人の本件窃盗犯罪の自白は憲法三八条二項の不当に長く抑留若しくは拘禁された後の自白ということは出来ない。何故ならば同人が拘禁されたのは他の犯罪についての確定判決に依るものであり本件窃盗犯罪による拘禁ではないからである」（名古屋高金沢支判昭二七・七・一四特三〇・九四）。

（三）　長期拘禁が被告人側の責に基ずくこと又は裁判所における事務の輻輳をいうもの

「不当に長い抑留又は拘禁」が、抑留・拘禁した裁判所その他拘束主体に対する非難を意味するならば、被告人側の責に帰すべき事由によつて拘束が長期化したばあいは、そのような非難をなし得ないのは当然であるし、拘束主体の側に事務輻輳等の本人の責に帰し得ない事情により急速な釈放が期待しえないばあいも、止むを得ず——期待可能性なしとしてその責を免れるであろう。そのような見地を持ち込んだものとして、注目すべきものに次の判例がある。

【25】　「被告人の自白は六ヶ月一六日の拘禁の後になされたこととなる。そこで右自白が不当に長く拘禁された後の自白であるかどうかを判断するに、本件犯罪がわずか三個の窃盗行為に過ぎないことから見れば、これを肯定すべきが如くであるが、被告人は最初昭和二一年一二月一一日警察官の取調べに対し自白して以来、翌二二年二月一三日の第一審公判廷及び同年六月三日の第二審公判廷においても終始一貫して自白していること、本件には被告人の外に数名の共犯者があつてその取調べに相当の日時を要したこと、第二審公判期日が被告人又は弁護人の不出頭等のために変更された後前記六月三日の公判期日に至つて公判が初めて開廷審理されたこと（以上は記録上明かな事実である）ならびに、現時の種々の悪条件の下の制約殊に本件処理の当時下級審裁判所には刑事事件が輻輳したのに反して職員に欠員の多かつたこと（以上は裁判所に顕著なる事実である）等の事情を参酌すると、被告人が拘禁されてから原審公判で保釈されたまでの期間は、これら特殊な情態の下においては本件の審理に必要であつたものと認められるのであつて所論の自白は不当に長く拘禁された後の自白に該当するものということはできない」（最判昭二三・二・六刑集二・二・一七）。

おもうに、「不当に長く抑留若しくは拘禁された自白」が証拠とならないのは、拘束者を非難するためではない。このことは虚偽排除説からすれば当然のことであるが、人権擁護説に立つても同様である。それは人権擁護の立地から長期拘禁を未然に防止する点に立法理由を見るものであつて、拘束者の責任の有無はこれを問わないのである。従つて、拘束者に実体法上の責任を負わせるかどうかの問題ならばとも角、証拠法上自白の証拠能力を認めるかどうかについては、長期拘禁が拘束者の責に帰すべきか若しくは被拘束者の責に帰すべきか乃至は不可抗力によるかは重要でない。ただ被拘束者側に自白の証拠能力を喪失させる目的で審理を遅延させ拘束を長期化した上で自白し、これを以て長期拘束後の自白だとして争う意図を持つた極めて稀なばあいのみが訴訟法上の問題性を持つであろうが、このばあいはおそらく長期拘束と自白との間に因果関係なしとして処理しうるであろう。まして事務の輻輳を以て自白の証拠能力を肯定するということは全く理解に若しむところである。

ただ本件においては、前年一二月一一日未拘束（この点記録上明らかでないが、六ケ月一六日を六月三日から逆算すると未拘束ということになる）で警察官の取調により自白して以来終始一貫自白しているというのであるから、むしろ重点は次に述べる拘束と自白の因果関係の問題と考えられるのであり、自白があり事件が簡単なのに拘らず、その後長く拘束を続けた勾留の不当性そのものを問題にすべきであろう。然し、長期勾留には勾留そのものからの解放という直接的解決方法を講ずべきであり、長期勾留を理由として訴訟手続の違反を問題にするのは、やや方向違いだといわなければならない。次の判決は、自白そのものには関係ないが、自白後の長期勾留を非難したに対し、ほぼ同様の理由で棄却しているのが注目される。

【26】（弁護人論旨）　逮捕直後被告人はすべての犯罪事実を自白したに拘らず、係官の怠慢のため調書の作成が遅れ、昭和二九年一月二五日付起訴状が裁判所に提出されるまでに逮捕後四ヶ月を経過し、そのため被告人は新宿簡裁の審理を受けられず、事件は東京地裁に移送される結果となり不当に長期の勾留を与えた（要旨）「被告人が当然なすべき弁護人選任届が遅延したことが、新宿簡裁の公判期日を遅らせた有力な原因となつたのであるし、同裁判所の移送決定があつて東京地裁に記録が送付されたのが一二月二四日であつて、年末繁忙の時期になつていた事を思えば昭和二九年一月二五日附起訴状は被告人の逮捕以来約四月を経過して提出されたとはいえ、そのため原審における審理が遅れて被告人に不当に長期の勾留を科したものということができない」（東京高判昭二九・八・二四 高裁特報一・五・一七三）。

四　抑留・拘禁と自白との因果関係

不当に長く抑留又は拘禁された後の自白が不任意の自白の例示であるに止らず、擬制であると解する限り、抑留や拘禁と自白の因果関係を問題にする必要はないことになる（同旨団藤一七七頁）。通常自白を強要するであろう程度の長さの抑留又は拘禁が不当に長い抑留・拘禁なのであるから、「不当に長い」の中に因果関係の問題は一般的にいつて解消するといつてよい。ただ、釈放後の自白に問題がある。釈放後相当の期間経過後になされた自白を不任意の自白として排除する理由はあるまい。だとすると「後」というのは、単に不当に長く抑留又は拘禁がなされてから時期的に後というに止まらず、抑留・拘禁の影響の残存という風に考えなければならないだろうし、そこに一種の因果関係の問題が介入してくる余地が生じることになる。ただ、このばあいにも「不当に長い」のばあいと同様に具体的因果関係があるかどうかの問題ではなくて、抽象的一般的に抑留・拘禁の影響の残存するであろう状態においてという意味に解しなければならない。ところで、かく解する限り、同様にして拘禁中の自白であつても一般的抽象的に長期拘禁の影響下にないと見られる自白は証拠能力を否定する理由はないであろう。ただ現実的にそのようなものがありうるかは疑問である。これを因果関係という言葉を用いるならば、「刑法などの因果関係と異り、相当因果関係がないのは勿論、条件関係もなく、さらに一般的に因果関係の存する虞もないという意味」に解すべきであろう（平野・刑事訴訟法六一頁）。

判例もこの問題に対しては、かなり立入つた理論的解明をあたえている。即ち、

【27】「憲法第三八条第二項において『不当に長く……（中略）……これを証拠とすることはできない』と規定している趣旨は、単に自白の時期が不当に長い抑留又は拘禁の後に行われた一切の場合を包含するというように形式的、機械的に解すべきものではなくて、自白と不当に長い抑留又は拘禁との間の因果関係を考慮に加えて妥当な解釈を下すべきものと考える。さればといつて、（一）不当に長い抑留又は拘禁による自白であ

ることが明かな場合すなわち自白の原因が不当に長い抑留又は拘禁によること明かである場合も包含することは当然であるが、かかる場合のみに限ると解することは、被告人の保護としては余りに狭きに失する嫌がある。次に（二）不当に長い抑留又は拘禁によるか否かが明かでない自白の場合すなわち自白の原因が不当に長い抑留又は拘禁であるか否かが不明である場合をも包含するものと解すべきである。なぜならば、かかる自白に証明力がないとするために、被告人は常に因果関係の存在を立証することを要するものとすれば、それは被告人に難きを強ゆるものでむしろ酷に過ぎることとなり被告人の人権を保護するゆえんではないからである。それ故、かかる因果関係の不明な自白は、因果関係の存することが明白な自白と共に、おしなべて証拠力を有しないと解すべきである。しかしながら（三）既に第一審公判廷においてした自白をそのまま第二審公判廷においても繰返している場合が往々存するのであるが、第一審公判廷における自白当時には未だ不当に長い抑留又は拘禁が存しなかつたときはその自白は前記条項に包含されないことは勿論、引続きその自白を繰返している第二審公判廷における自白当時には仮に不当に長い抑留又は拘禁が実存していたとしてもこの自白は、特別の事情がない限りその原因が不当に長い抑留又は拘禁によらないことが明かと認められるから、前記条件に包含されないものと解すべきである。言いかえれば、自白と不当に長い抑留又は拘禁との間に因果関係の存在しないことが明かに認め得られる前記場合においては、かかる自白を証拠とすることができると解釈するを相当と考える」（最判昭二三・六・二三刑集二・七・七一五）。

本判例に示された理論が以後の判例の理論的支柱をなしていると思われるのであるが、その立場を理論的に整理すれば、(1)抑留若しくは拘禁と自白との間には因果関係がなければならないこと。(2)因果関係の挙証責任を検察官側に転換したこと。即ち抑留若しくは拘禁との因果関係の存否不明のばあいは因果関係が存しないものとして不任意の自白とすることにあると思われる。従つてその結果としては、自白が長期の抑留若しくは拘禁に影響を受けなかつたことの具体的証明があれば証拠能力があることになる（このことを判例は明示していないが論理的にはそういう結論になる）。だが、それならば、法が「任意にされたものでない疑のある自白」と規定しているところからして、自白一般に妥当する理論である。不当に長く抑留・拘禁された後の自白を法が特に掲げるのは、そのような任意にされたものでない疑のある自白の顕著な場合を類型化した擬制規定だと解するであるが、判例理論は結局はかかる擬制規定であることを否定するものである。従つて、我々の立場からは、不当に長い抑留若しくは拘禁後の自白であつてしかも証拠能力を奪われないものが若しありとすれば、それは目的論的にかかる定型性に合致しないばあいであり、判例のいうように個別的具体的立証で破られるものではなく、一般的抽象的に元来その型に当嵌らないものがそれなのである。

尚判例が【3】にあげている事例は我々のこのような立場からは証拠能力を否定しなければならない訳であるが、はたして判例理論を忠実に適用したばあいにおいても判例の認めるような結論に到達するかどうかは疑問がある。その点は後に論じることにする。

兎も角も判例は長期の抑留・拘禁後の自白でも両者間に因果関係がないことが明らかなばあいには証拠能力を失わないとするのであるが、如何なる場合に因果関係がないことが明らかであるかについては、判例は、釈放後の自白のみならず、抑留・拘禁中の自白についてもこれを認めている。

（一）　抑留若しくは拘禁中のばあい　　判例がこのばあいに当嵌まるものとして通常認めるのは、さきに「不当に長く抑留若しくは拘禁」される前に自白したところを繰返しているに過ぎないと認められるばあいであり、上述の【27】にもこのばあいが論じられていたが、既にそれより先に同様の点に触れた【25】の判例があり、又その後においても、

【28】　「刑訴応急措置法第一〇条第三項の『不当に長く抑留若しくは拘禁された後の自白』というのは抑留若しくは拘禁が自白を生んだ場合ばかりでなく、抑留若しくは拘禁の期間が長きに亘つてその後に初めて自白があつたような場合には、抑留若しくは拘禁と自白との間の因果関係があつたと見る趣旨と解すべきである。従つて反対に自白と抑留若しくは拘禁の生活との間に因果関係がないことが明らかである場合は、右の自白に含まれないものと見るのが相当である。

本事案を調べて見ると、……右拘禁は必ずしも短いとは言えないけれども、被告人は犯行直後、警察、検察庁、予審第一回取調を通じて卒直に殺意を自認していたこと、従つて第二回予審訊問に至つて初めて殺意を自認したものでないことは記録上誠に明らかである。被告人が犯意を否認し続けていて、第二回予審訊問の際に初めて之を自認したものであれば、或は不当に長い拘禁後の自白の場合に当るとも言えるけれども、本件の場合は正にその反対であつて、被告人は犯行直後から第二回予審訊問までは、終始殺意を認めていたのである。つまり自白と拘禁生活との間に因果関係がないことが明らかであるから、本件はいわゆる不当に長く抑留若しくは拘禁された後の自白ということはできない」（最判昭二三・一一・七 刑集二・一二・一五五八）。

【29】　「被告人は昭和二二年四月三〇日警察官の取調に対して本犯行を自白してより、同年五月三日の強制処分における判事の訊問においてもまた同年五月一一日の検事の取調並に同年六月二〇日の第一審公判期日においても何れも本犯行を自白していることが明白であつて原審公判においてもまた前記各取調に当つて為したと同趣旨の自白をしたのであるから原審公判における自白は不当に長く拘禁されたことに原因して為された自白とは言い得ない。そして拘禁と自白との間に因果関係のないことが明らかに認められた場合は刑訴応急措置法第一〇条第二項の不当に長く抑留若しくは拘禁された後の自白に当らないということは当裁判所数次の判例の示すところである」（最判昭二三・一二・一四 刑集二・一三・一七三九）。

【30】　「被告人は昭和二二年五月一〇日逮捕され同月一二日勾留されて以来拘禁されているのであるが、所論の検察官の聴取書は昭和二二年五月一九日に作成されたものであるから右の聴取書記載の供述は拘禁と自白

の日時の近接からみて、もとより不当に長く拘禁された後の自白でないことは明かである。なお原判決が証拠に引用した原審公判廷における被告人の供述は、昭和二三年一月一九日になされたものであつて、強盗の犯行を自白したものではなく、単に被告人が犯行の場所の近くまで行つたこと、犯行の場所から被害物品の一部を持ち出したことその他の不利益な事実を認めたものであり、しかも第一回公判廷における全面的自白をひるがえした供述であるのみならず、数名以上の共犯者による集団強盗の四回の犯行に関する自白であるので、これらの状況からみて刑訴応急措置法第一〇条にいう「不当に長く抑留若しくは拘禁された後の自白」に該当するものではない」（最判昭二三・一〇・六刑集二・一一・一二七五）。

その他同旨の判例は昭和二三年から二五年にかけて数多く出ている。最判昭二三年二月六日、同昭二三年八月五日（刑集二・一〇・一二〇九）、同二三年九月一八日等。

ところで判例のこのような結論が一見妥当のように見えて深く考えると疑問なきを得ないし、又上述の判例理論からこのような結論に到達するかも疑問である。判例は往々終始一貫自白を続けているという表現を用いるけれども自白は各個の行為であつて、その個々の行為について判断しなければならないのである。判例理論によると長期拘束と自白との間に因果関係の存しないことが明証せられるならば自白の不任意性は解除せられるのであるが、前に自白があつたからといつて後の自白が、前の自白をなさしめた動機に基いてなされたとはかぎらない。前の自白の連続だというためには少くともこの点に対する立入つた検討を経なければならない。前の自白の反覆だからという理由で前の自白を任意ならしめる事情を以て直ちに後の自白を任意とするのは軽卒である。のみならず、この場合後の自白が長期拘束の影響を全く受けていないとする充分な根拠はない。一度自白しても次の機会に否認するのは自由であろうし、その否認を或いは尚一層の拘禁の継続を恐れて或いは否認することに伴うであろう強い追究を長期拘束の結果による心身の消耗により抵抗して行く意欲を喪失して、先の自白を機械的に繰返すばあいとても考えられなくはない。いづれにせよこの判例の結論には賛意を表しかねるように思う。なお、次の判例は同じく

【31】（判旨）「被告人に対し収賄被疑事件で勾引状が発布されたのは昭和二二年二月二五日、勾留状が出たのは同月二六日、保釈決定のあつたのは同年四月二二日、所論予審第一回訊問のあつたのは同月一六日である。そうして原判決は右の訊問調書中の被告人の供述記載を証拠として採用しているのであるから、それは勾引後五一日目の自白である。しかし被告人はこの時に先立つて未だ身柄を拘束されなかつた昭和二二年二月三日の警察の取調において既に大体の事実を自白しており、同月二六日の勾留訊問の際にも自白しているから身柄の拘束と自白との間に因果関係が無かつた場合と言わなければならない。かような場合に憲法三八条二項の違反ありと言い得ないことは当裁判所の判例（昭和二二年(れ)第二七一号同二三年六月二三日大法廷判決）の示すとおりである」（最判昭二八・一〇・二〇 ジュリスト四八・四八）。

長期勾留後の自白でも自白の原因は別にあることを理由とするものであるが、その原因を前の自白以外の点に求めている点注目すべきである。

【32】「本件起訴のあつた昭和二七年一月一八日より被告人が本件犯行を自白するに至つた同年八月八日の第五回公判までの間被告人が身柄を拘禁されていたことは本件記録に徴し明かであるが、たまたまその当時は各裁判所共所謂旧法事件の処理に忙殺され所謂新法事件の処理には手が廻りかねていたこと、原審の職権による公判期日の変更について当事者双方共何等の異議を申し出でなかつたこと、その他本件訴訟の経過に照すときは、被告人が本件犯行を自白するに至るまでの右拘禁は弁護人所論のように不当に、長い拘禁であるとは言えないのみならず又八月八日第五回公判における被告人の「Mが自分達ばかりに罪をかぶせているので意地に

なつて否認していたがY弁護士さんに懇々とさとされて悪いことがわかつたので一切を自白する気になつた」旨の供述と同公判で被告人が裁判官から証人Mの尋問調書を読み聞けられた後に本件犯行を自白するに至つた経緯を彼此考量すれば被告人が本件犯行を自白するに至つたのは前示拘禁を原因とするものではなく、他の有力な証拠によつて、到底本件犯行を否認し通せるものでないと観念した結果であると推知されるから右拘禁と右自白との間には何等の因果関係なく、されば被告人の本件犯行に対する所論自白を取つて本件断罪の資料としたことは毫も憲法三八条二項に違反するものではない」（広島高松江支部判昭二七・一一・三〇特二〇・一七五）。

その前半は事務の繁忙乃至被告人側の責任をあげて不当に長い抑留又は拘禁でないことをのべており、その非なることは上述したが、後半はまさしく因果関係の問題をとりあげている。本件では、具体的自白の原因を追及している点で前の自白の繰返しとするばあいに比し判例理論に忠実であるように思われるが、ただ他の原因によると推知せられるところから直ちに何等の因果関係もないと飛躍するところに問題があろう。

（二）　釈放後のばあい　判例が拘束と自白との因果関係を否定する今一つのばあいは釈放後の自白である。たしかに字義解釈的に取扱う限り釈放後の自白も不当に長く抑留若しくは拘禁された後の自白ではある。だが目的論的に解する限り抑留・拘禁の影響の残存しない時期における自白は、いかなる立場をとるにせよ、抑留若しくは拘禁後の自白に定型的に入れて証拠能力を奪う理由はない。のみならず釈放後の自白はすべてこれに入らないのではないかとの疑問も提出せられうる（横井・判例自白法四二頁）。のしかし釈放直後の自白とされるものには、その前後の認定のあいまいなものもあろうし、又釈放と自白が事前に交換的に約束されているばあいもあろう。のみならず実質的に言つても、不当に長い抑留・

拘禁にも程度の差がある。釈放を求めての自白はするが釈放されれば自白をする心理的根拠がなくなるばあいもあろうし、長期の抑留・拘禁による心身の消耗が不任意の自白をせしめるのであつて、釈放後も心身に残存する消耗と抑圧状態が不任意の自白をなさしめる虞のあるばあいもあろう。従つて、釈放後の自白はすべて不当に長い抑留・拘禁後の自白でないとするのは行き過ぎであつて、やはり一般的にいつて抑留・拘禁の影響が残存する間はこの定型に入るものと考えるべきである。

判例を見るに、

【33】「被告人は……保釈になつて居り、原審が証拠に採つた被告人の自白は……保釈後四ヵ月以上を経過した後のものである。かかる自白は憲法三十八条第二項等にいう『不当に長い拘禁後の自白』という中に入らない」(最判昭二三・七・二九 刑集二・九・一〇七六)。

【34】「原審が証拠として採用している被告人の自白は、昭和二十三年六月十九日の原審公判廷における自白であつて、被告人は昭和二十二年五月二十二日起訴と同時に勾留状の執行を受け爾来拘禁されていたが昭和二十二年七月十八日第一審裁判所において保釈を許され、従つて原審公判廷における取調当時は既に身柄を拘束されていなかつたことが本件記録上明らかである。右の如く勾留は二ヶ月に足らぬものであり、しかも保釈後十ヵ月を経て不拘束の状態においてなされた自白であるから、かかる自白は法にいう不当に長い拘禁後の自白に該当しないものと見るを相当とする」(最判昭二三・一二・三〇 刑集二・一二・一六五四)。

四　その他任意性に疑いのある自白

一　任意性の意味

強制、拷問又は脅迫による自白、不当に長く抑留又は拘禁された後の自白はいずれも任意でされたものでない疑のある自白の例示である。そこで、任意性とは何をいうかという根本問題に移る訳である。任意性の意味を表面から取り上げた判例は少く、わずかに次の二、三の例があるにすぎない。いわく、

【35】「所謂任意にされた自白とは、外部的圧力に何等妨げらるることなく、正常な自発的意思決定に基き為されたものであれば足り、其の自発的意思決定が為された縁由の如きは、之を問うを要しないものと解するが故に、縦令所論自白が所論のように縁由の錯誤に基くものであるにしても、斯の如き縁由の錯誤のみを以てしては未だ右自白が其の正常な自発的意思決定に基き為されたものではないとはなし難く、延いては之が任意にされたことを疑うべき余地は毫も存しないのであるから、此の点に関する所論は当らない」（名古屋高判昭二五・九・二〇特一二・七五）。

【36】「所論は右供述当時の同被告人の家庭事情等を挙げてその任意性欠缺の根拠としているが刑訴三二五条、三二二条にいわゆる任意性の欠缺とはかように単に供述者自らその一身又は家庭事情等を憂うるのあまり供述を曲歪するというに止らず、その曲歪が取調職員の誘導若しくは抑制等外部からの強制的動因による場合を指称することは明らかなのに右供述についてはかかる動因の加えられた事跡を見出せない」（東京高判昭二六・一〇・一二特二四・三四）。

これらの判例は、外部からの誘引にもとづいて自白がなされたばあいにのみ任意性が問題になるものとしている。外部からの誘引に基づかずしてなした自白、これが本来の任意の自白の意味であろう。然しそのばあいにも外部から誘引があつてそれが原因となつて自白したばあいの総てが不任意の自白とするのは広きに失するであろう。けだし、それを徹底すれば、凡そ問に対して答えたばあいは、すべて任意性がないということになるからである。そこで何等か規範的立場からの制限が科せられることになる。即ち虚偽排除説からは虚偽の供述を誘発するような外部的力に基いてなされた自白が不任意の自白であるということになるであろうし、人権擁護説からは通常取調の方法として法的ないし倫理的に許される程度を越えて圧力を加えたばあいが不任意の自白ということになろう。

更に、このような圧力ないし誘引は取調べ又は自白を得る側において作為したことを、本来の意味での任意性は要求するであろう。このことは不任意の自白の例示である、上述の強制、拷問又は脅迫による自白や不当に長く抑留又は拘禁された後の自白からも伺いうるところである。従つて、例えば病気中の自白や精神的打撃を受けたばあいの自白は本来の意味での任意の自白の問題ではなく、供述能力の問題だということになる。然し任意性の意味は多義的であつて、これらも外的な圧力によつて黙秘権を守る精神力を失つての自白だから広い意味においての任意性の問題だと考えられなくもない（三二五条の供述の任意性の調査のばあいには、この広い意味で用いられていると考えられる）。更に黙秘権の告知を欠くとか、弁護人選任権の告知を欠くとかも、自白の任意性を欠くという申立事由になつている。これらが単なる手続違反であつて任意性の問題とは関係なく、たとえ証拠能力に影響を与えるとの立場をとつても、それは違法な手続により獲得された証拠が証拠になりうるかという、いわゆる証拠禁止の問題であつて、自白の任意性の問題でないことは明らかであろう。然し又これらの手続が正当に行われたならば被告人は自白をしなかつたであろう。従つて自白をしたのはこれら手続の懈怠が原因だというふうに、丁度不作為犯の因果関係を認めるばあいと同様な論法で黙秘権を破つたとする考えも成り立つ。ここでは消極的意味での任意性に関係する。任意性の問題として取上げられる心理的根拠はそういう点にあるのであろう。

そこで、以上をすべて包含して、広義の自白の任意性を取扱つた判例を問題によつて分類すると、

一　国家又は取調者によつて作成された外部的誘引が原因となるもの　これは更に二つに分けうる。（1）取調に不当な誘引があるもの、その代表的なものは強制、拷問、脅迫であるが、ここではそれ以外のものが取扱われる。（2）取調状況において不当な誘引があるもの、その代表的なものは不当

に長い抑留・拘禁があるが、ここでは、それ以外のものも取扱う。二　それ以外の平静な判断能力を奪うような事情によるもの　三　自白の有無に影響を及ぼすべき手続違反があつたばあいに分類しうると思う。

二　取調方法における誘引

取調における誘引が全く禁ぜられている訳ではない。正当な誘引ならば尋問技術として許されるであろう。ただ一方において国家の品位と被告人の人権擁護とから、自ら行つてはならない誘引がある。それを越えて誘引を行つたばあいに任意性を欠く自白だと人権擁護説は考えるのである。これに反して虚偽排除説では、ことさらに虚偽の供述をなさしめるべく仕組まれた又通常虚偽の自白を誘うような取調方法によつて得られたものが不任意の自白ということになろう。通常このカテゴリーで取扱われる代表的な例は、利益に結びつけられた供述、即ち「約束（promise）」であるが、その他、誘導尋問、「理詰め」、偽計的方法等が考えられ、現に判例もこれらの諸点について現れている。

（一）　約束　取調官の放免等の約束に基づいてなされた自白が証拠能力がないことは米法においても認められる。この種の事例としては、

【37】　「検察官の不起訴処分に附する旨の約束に基く自白は任意になされたものでない疑いのある自白と解すべきで、これを任意になされたものと解することは到底是認しえない。従つてかかる自白を採つて以て罪証に供することは採証則に違反するものといわねばならない」（福岡高判昭二九・三・一〇特二六・七一）。

事件は選挙法違反事件で、金二千円を供与した相手方を秘匿していたが、副検事某の被供与者の氏名を表白してもこれを起訴しないとの約束に基いて、その被供与者の氏名を述べているのである。

放免以外には、訴訟における有利な取扱い、留置場における寛大な取扱い、金銭的報酬等が約束の重要な内容だと考えられる。次にあげるヒロポン中毒者にヒロポンを与えることと代償に得た自白は、判例では「禁断症状の苦痛に堪えかねて」したものでもなく「注射後興奮にかられて」したものでもないというふうに、いわゆる心理的異常の点から問題にしているが、むしろ「約束」という見地から問題になると考える。

【38】「被告人は昭和二六年八月三〇日取調に当つたTに対して正直に述べるからヒロポンを注射してくれるよう要求したところ同人は之を容れ同被告人の指示した密売者より買い与えたことは所論の通りである。しかし同被告人が右Tに対し犯行を自白したのは注射をする前である。しかし当時同被告人は強烈な禁断症状を呈していたものではなく注射後も其前とはほとんど変つたところはなかつたことは、……認められるところであるから、同被告人が禁断症状の苦痛に堪えかねてヒロポンの注射ということに誘惑され又は其注射後興奮にかられて理性を失い取調の警察官や副検事の要求のまゝ虚偽の自白をしたものとは認め難い。従つて同被告人の前記自白調書は適法に作成されたものと云はなければならない。

もつとも前記昭和二六年八月三〇日は覚せい剤取締法施行の後であつて所謂ヒロポン等の覚せい剤類の譲渡譲受使用は一般に禁止されていたものであるから取調べの任に当つていた警察官某が被告人の要求にたやすく応じ密売の覚せい剤を買い与えたことは妥当の措置とは云い得ないが此の一事を以つて同被告人の警察官副検事に対する供述が任意に出でたものとはならないという所論は当らない」(札幌高判昭二七・五・七特一八・八五)。

この判例では三つの問題が含まれている。第一は約束の問題であり、第二は心理状態の不正常であり、第三は違法な手段により得た証拠である。第二、第三の点では一応不充分乍ら判断が示されているにかかわらず最も重要な第一点の判断が示されていないのは遺憾である。ヒロポン常用者によつてヒロポンの持つ誘引力は相当強烈なものがあり、ばあいによつては放免の約束以上のものがあると思われる。その点充分の調査をしていない本件判例は不正当である。同じくヒロポンを買い与えるという約束の下における自白だとの弁解について、中毒症状中の自白、約束によつたのでないかの疑のある自白では、尚自白の任意性の審理を尽すべきだとした次の判例が正当である。

【39】「被告人が本件検挙当時ヒロポン中毒に罹り日々数回に亘り注射していたことは本件記録上明かであつて右の様な中毒患者の精神状態が正常でないことは多くその例を見る事実であるからその中毒症状中の供述は任意性を欠くやの疑いを抱き得るのみならず……中村警察署でヒロポン注射をしてもらう交換条件に犯人の犯罪を被告人の所為のように自白し其旨の供述調書が作成されたものであるとの弁解は無下に排斥し去れない理由がある……から原審は須く被告人の自白の任意性につき審理を尽すべきである」（名古屋高判昭二六・八・一三特二七・一四一）。

この判例は正面は審理不尽の問題で破棄しているのであるが、その奥には、ヒロポンを買い与えるという交換条件でしたヒロポン中毒者の自白が一応不任意の疑のある自白だとしている点に注目すべきである。

(二)　誘導尋問　　明示的又は暗示的に一定の答を示し、それに供述者の答を持つて行こうとする尋問が捜査における誘導尋問だと考えてよいであろう。従つて、次の判例は正しい。

【40】「原審裁判長が被告人に対して発した質問が所論の如く誘導尋問であることは、右の質問が質問者の期待する答を暗示していることに徴し明らかである。

しかし誘導尋問に対しなされた被告人の供述が常に任意性を欠くものであるとは言えないのであつて、任意性を欠いているか否かはその供述のなされた当時の状況から具体的に判定すべきものである」（広島高松江支部判昭二五・五・二四特一・一三八）。

この判例では誘導尋問が必ずしも任意性に影響を及ぼすものではなく、任意性を欠かしめるかどうかは供述当時の状況によるとして、明確な基準を示さなかつたが、次の判例は一歩進んでその点を示している。

【41】「誘導尋問による供述も、一概に任意性を否定し去るべきものではなく、それが虚偽の供述を誘発する程度に達した場合にはじめて任意性を失わしめるものと解するを相当とする」(広島高岡山支部判昭二八・一〇・二九特三一・八二)。

これは公判廷における証人に対する誘導尋問について判示されたもので、その限りにおいては疑問であるが、被告人・被疑者の自白に関する限り、且つ虚偽排除説を採る限りは正当である。

誘導尋問の具体的事例としては、

【42】「第一審第一回公判において、出席の検察官より被告人の検察事務官に対する第一、二回供述調書の証拠調の請求があつたのに対し、被告人がこれを証拠とすることに同意せず、その証拠調について異議を申立てた結果、裁判所より各証拠調の請求が却下せられたにもかかわらず、次ぎの第二回公判において検察官が右供述調書の一部を読聞かしていることは(弁護人)所論の通りである。しかし、第一審第二回公判調書によると、検察官の被告人に対する質問の途中に、『……小学校でどの様な話をしたのか』の質問に対し、被告人は『前に検察庁で調べられた時に述べた通りであります』と答えた旨の記載があつて、検察官も、そこで、初めて前記供述調書の該当部分を被告人に読聞かせるようになつたこと及び右と同様の方法によるその後の検察官の質問に対しても、被告人は引続き、一々、任意の答弁をしていることが窺われ、かかる質問の方法に対し被告人から異議を申立てた形跡も認められない。そして、右供述調書は、更らに同公判で検察官より再度証拠調の請求があつたのであるが、同審第三回公判調書によると、被告人側もついにこれを証拠とすることに同意していることが認められる。以上のような訴訟の経過に照らして考えると、右のような質問も、検察官がいきなり被告人に証拠能力のない供述調書を読聞かして、裁判官に予断を与え、又は被告人に誘導尋問を試みたものと解すべきではなく、右は被告人に争のない部分につき、質問の内容を補充するというただ質問の便宜によつ

たまでのことであると解するのが相当である」（最判昭二六・一〇・一二刑集五・一一・二二三九）。

【43】（事実）業務上横領事件につき、起訴状朗読後、被告人は予め弁護人と打合わせておいた通り、「株券を担保に入れたことは認めるが、それは権利があつてしたことである」と陳述、裁判官は「横領を否認した点は事実に反するのではないか」と発問、一時休廷、その間弁護人と被告人打合わせの上開廷後「横領したことは間違いないがそれには事情がある」との陳述に変更した

（判旨）「否認したことは事実に反するではないか」との発問は妥当でないこと勿論であるけれども、被告人の再度の陳述は右のように……弁護人三名の立会つている公判手続で弁護人三名の意見を聞いた上陳述したものであるから、自ら事件に対する陳述として有利な陳述であるとの見地の下にその陳述をしたものとみとめられ……任意性を欠く疑ありと速断出来ない」（東京高判昭二七・一二・一二特三七・一三六）。

（三）「理詰め」、弁解に困つての供述　検察官等の取調官の理詰めの追究や動かぬ証拠を見せての追究が、それ自体何等非難さるべき取調方法とは考えられず、それに基いて弁解に困つてなした自白が不任意の自白にならないのは当然である。問題はその追究の程度であつて、黙秘権を力づくで破るような執拗さで行われたばあいには任意性の問題となり強制の問題となる。従つて、

【44】「検事の理屈攻めが果して強制にあたるか否かは、具体的の事実によつて各場合に判断せらるべきであつて、何等具体的の事実を主張立証することなく漫然として検事の理詰を以て強制だとすることはできない」（最判昭二三・一一・一刑集二・一二・一五六五）。

【45】「凡そ供述に任意性があるとするには、必ずしも、徹頭徹尾自発的になされたことを要するものではなく、仮令当初は否認の供述であつても、その供述に関する矛盾や曖昧な点の弁解が出来ぬようになつて自白するに至つた場合、その他自白が外部からの不当不法な圧力に基くものでない限り任意性ありとするに差支えないと解すべきである」（名古屋高判昭二五・八・三〇特一三・七八）。

ここでは、弁解に困つての自白が、当然外部からの不法不当の圧力によるものでないとするなら疑問であつて、弁解を求める圧力の程度をも考慮しなければならないものであることは上述した通りである。

【46】「当初は他人に犯罪の転嫁を策し犯行の否認を続けていた被告人が終に自白を為すに至つた動機は捜査の進歩に伴う客観的資料の蒐集に圧迫され弁解の方途も立たなくなり終に自白に追い込まれたものであつて……(中略)事実を否認していた被疑者が真正な客観的証拠の圧力に屈して犯罪事実の全部又は一部に関し自己に不利益な供述をすることは決して強制による自白と言うことが出来ない」(名古屋高金沢支部判昭二八・五・二八刑集六・九・一一二二)。

必ずしも理詰めではなく、単純に供述への圧力をかけるばあいは、一層黙秘権を破る強要になり易い。次の判例は「警察官に叱られた」「そうだろうそうだろうと申すのでとうとうそうだと申しておいた」といつたことだけで自白が強制にもとづくものといえないとする。然し、叱り方や圧迫の仕方の程度によつては任意性を疑わしめるものであり、更により具体的に任意性の調査を要するばあいではなかろうか。なお本件が刑訴応急措置法時代の事件であることに注意を要する。

【47】「被告人は原審公判において、裁判長から司法警察官の第一回訊問調書中、キンに対する殺意のくだりを読み聞かされた際に『その時は警察官に叱られたので、左様に殺すつもりで欧つたと申し上げましたが、実際は殺す気がなかつたのであります』と述べ、また第一審公判においても、同様右調書について係官が『そうだろうそうだろうと申すのでとうとうそうだと申しておいたのでありましたが云々』と述べていることは記録上明らかであるけれども、これだけのことによつて、直ちに、右自白が強制にもとづくものであるということのできないのは勿論である」(最判昭二三・七・一四刑集二・八・八五六)。

(四)　偽計　被告人を欺して真相を語らしめるということは、真実発見を唯一至上だとする立場からすれば、むしろ賞揚せらるべき取調技術である。しかし、犯人の責任を問い処罰する国家の道義的優越性を放棄するものであり、教育刑を揚言する資格を喪失せしめる。従つて、被告人の人権擁護という見地よりは、司法が正義を守るという見地から、これを排除すべきであろう。

【48】（事実）専売局監視員がその身分を秘し、私立探偵であると詐称し、被告人を欺いて供述させた（判旨）「しかし偽計の下になされた自白だからといつて、一概にその証拠能力や証明力を否定すべきものでなく、……その偽計が虚偽の自白を誘発する程度のものであつたか否か、又相手方がその偽計によつて虚偽の自白をした疑があるか否かによつて決せらるべきものである。しかるにAの用いた偽計は好ましい方法ではないが、自己の身分を偽ることによつて供述者の警戒心を解き、より真実な供述を得ようとしたものであつて性質上虚偽の自白を誘発する危険を伴わないものであり、……右偽計のために特に被告人が虚偽の自白をしたという疑もないのである。さすれば被告人のAに対する右自白は、任意性の点においても信用性の点においても欠くところなくその証拠能力は勿論証明力をも具備しているものといわねばならない」（広島高岡山支部判昭二七・七・二四特二〇・一四七）。

この判例は虚偽排除説に立つたものであることは明らかであるが、任意性が必ずしも虚偽排除説からのみ説明しうるものでないことは強制・拷問等による自白が必ずしも虚偽自白とは限らず、むしろ真実を語らしめんとする熱意の余り、このような方法が採られるのが通例であることをも銘記する必要がある。

三　取調状況からくる不当な影響

取調方法そのものには何等不当誘引を含まなくても、取調官その他国家側の作為した取調環境から自白を誘引するばあいがある。又取調環境を情況証拠として取調に強制拷問その他不当誘引があつたのでないかを疑わしめるばあいがある。

（一）　拘禁中の供述　不当に長い抑留・拘禁後になされた自白が証拠にならないということは、その程度に達しない程度の抑留・拘禁後の自白は、抑留・拘禁自体としては任意性を奪うものでないことを示すものであろう。従つて、

【49】「被告人の司法警察員及び検事に対する供述が何れも勾留中になされたものであることは明らかであるが勾留中の供述なるが故にその任意性を当然否定せねばならぬという訳のものではない」（名古屋高判昭二五・五・二九特九・八〇）。

とするのはもとより正当である。又拘禁が不法不当でありないし手続違反があつたとしても、その結果得られた自白は、これを排除すべきばあいにも、証拠禁止の法理によるべきで、黙秘権を奪つたという関係がない限りは自白の任意性の問題ではない。従つて、次の判例も亦是認さるべきである。

【50】「拘禁が不法であつてもその一事を以て直ちに拘禁中の供述が強制その他不任意のものであると速断することはできない」（最判昭二六・三・一五刑集五・四・五三五）。

具体的事例についていうと、違法な執行指揮により勾留されたばあい（名古屋高判昭二五・六・九特一〇・八〇）、逮捕状なしに逮捕せられそのまま数日間勾留された疑のあるばあい（最判昭二七・一一・二五刑集六・一〇・一二四五）、別件で拘束して取調べたばあい（仙台高判昭二七・五・二四特二二・一三〇）等がある。しからば、拘禁中の自白については、それが不当に長い拘禁後のばあいを除いては任意性に疑いを生ぜしめるばあいは起らないかというと必ずしもそうではない。問題は拘禁が法に違反するかどうかではなく、むしろ事実として被拘禁者に苦痛を与えるかどうかである。その点例えば拘禁場所の著しい不衛生等は、たとえ不当に長い拘禁でなくても、自白の任意性

の角度から問題になり得よう。ただ未だこの点を取扱つた判例はないようである。

(二)　徹夜又は夜間長時間の取調　徹夜又は夜間長時間の取調が、被告人の睡眠を妨げ必身の疲労を与えること、深夜の特殊の雰囲気が被取調者に恐怖を、取調者に強要の誘惑を与えることは一般に認めうる。然しこのような場合判例はいづれも自白の任意性に影響のないものとしている。

先ず徹夜の取調について、

【51】（事実）　被告人は四月二五日岐阜県美濃町で逮捕、同月二七日岐阜市で勾留尋問後美濃町に連れ戻され、同月三十日午後八時より翌五月一日午前八時までブッ通しで取り調べられて自白し、その自白調書は四月三十日付で作成され、五月二日岐阜市の拘置所に移され、五月六日検察官の取調があつて翌七日起訴されている

（判旨）「右供述調書はその体裁、記載の供述態様から観て何等その供述の任意性を疑うべき点は認められない。なるほど同供述調書は四月三十日美濃町警察署司法警察員の作成に係ることは同調書の記載によつて明らかであり、またそれまでの同被告人に対する逮捕状、次で勾留状による拘束とその取調の日数、場所的経過（ことにその間同人が犯行を否認していたこと）が所論の如くであることは原審公判調書中証人某（右警察署巡査部長）の供述記載並に記録中の逮捕状、勾留状の各記載等に徴してこれを窺い得べく……仮に所論の如くであつたとしても、これがため直ちに被告人の前記自白につき任意になされたものでない疑を生ぜしむべきものではない」（名古屋高判昭二五・五・八特九・六七）。

【52】　「巡査部長AがBを銃砲等所持禁止令違反の現行犯人として、昭和二五年五月一八日午後一一時一五分秋田県……中村旅館において逮捕取調べたところ、拳銃は被告人の依頼によつて売却のため同旅館に持参したものであることを供述したので、右A等は翌一九日午前零時三十分N方に到り被告人に前記Bを取調べた結果を述べ、その真偽を尋ねたところ被告人が犯罪事実を認めたので、同人を緊急逮捕して同日午前一時二〇分大湯町警察署に引致の上（中略）夜を徹して取調べの上、夜明け近くに作成されたことは各論旨に摘録のとおりであつて、かかる取調べ方法はまことに遺憾というのほかはないが、なにぶん事件のように夜おそく現行犯

を逮捕し、それに端を発して検挙をみたような場合にあつては、その検挙に引きつづいて一応の取調べがなさるべきことは、当時の諸事情にかんがみて、これまたやむを得ない措置と認められるからその一事をもつて供述調書の任意性を否定することは当らない」（仙台高秋田支部判昭二六・一一・二四特二二・二一四）。

後者においては取調の必要ということが強調されている。丁度不当に長い抑留・拘禁でないとするばあいに取調の必要を強調するのと同一の論法である。尚深夜の取調につき、その必要性を一層強調したものに次のものがある。

【53】「本件事故の発生した時刻は昭和二四年一二月八日午後七時三五分頃で、K警部補は同夜八時から九時迄の間同被告人立会の下に現場の実況見分をしているのである。本件のような業務上過失致死事件について、捜査官がまず現場の実況を見分した後に被疑者の取調をするのは至当の措置と言わねばならない。従つて右実況見分後自庁に帰つた上同夜一〇時頃からK警部補が被疑者の取調べをしたところで、少しも非難せられる理由はない。殊に本件は貴重な人間の生命が失われたという重大な事件であるので、事件直後の同夜一〇時頃取調べを開始し夜半の二時頃迄継続して取調したのであるから、捜査官としてなすべきことをしたにすぎない。しかも本件においては被告人は同警部補に対して任意に自供しており、右自供が所論のように違法な取調べに基くという疑は少しもない」（大阪高判昭二七・三・一八特二三・八五）。

その他夜間長時間にわたる取調を扱つた判例には次のようなものがある。

【54】「成程同供述（検察官面前における被告人の供述）は、勾留後十日位後に且つ夜七時頃から十一時頃に亘り供述されたものではあるが、該供述内容は相当複雑のものと認められるから、数時間を要したことは、必ずしも強制等のためであつたものと認められないし、勾留十日後であるとか夜間であるとかいうことが特に右供述の任意性に影響を与えたものであるとは認められない」（東京高判昭二五・三・二五特八・四二）。

【55】「被告人の司法警察員に対する供述は……たとい取調べが所論のように夜中にわたり二三人がかりで

したとしても直ちにそれを強制脅迫その他任意の供述を不能ならしめるような無理な取調をしたものと断じえない」（仙台高秋田支部判昭二五・一〇・三〇特一四・一八八）。

【56】「富良野地区警察署における被告人の取調は午後八時か九時頃から翌日の午前一時頃迄に亘つたことはあるが、其間被告人は何等供述を強要されて居らず、取調べ時間以外は十分休養を与えられていた事実を認めることが出来るから右の如き夜間の取調べの故に直ちにその取調は違法であり被告人の供述は任意になされたものではないと云うことは出来ない。仮に右取調べが違法であるとしてもこれに基き作成された供述調書が証拠能力を有するか否かの問題であつて所論のような訴訟手続違反の問題ではない」（札幌高判昭二七・三・一七特一八・七九）。

（三）取調べに際しての局外者の立会い　被疑者の取調べに際して局外者に立会わせるということが、拘禁とか夜間の取調とかのように、それ自体として被疑者に苦痛を与えるものではない。ただその第三者の言動如何によつては強制ともなり脅迫ともなる。次の判例は立会の第三者によつて強制なり脅迫なりが行われたということは明らかでないが、彼が自白を促すこと等の或程度の発言したことと相俟ち、任意性に疑を持たせる情況的事実としている点に注目すべきである。

【57】「被告人が昭和二十四年三月二十日巡査駐在所において巡査から本件について最初の取調べを受け、初めは窃盗事実を否認していたが後遂に自白するに至つたこと、右取調べの際捜査官憲でない一私人某が同巡査及被告人と共に机を囲んで同席し被告人に対し自白を促す等或る程度発言したことが認められる。論旨に主張のように右同席の某が無頼漢であるとか此の場合の右自白が強制によつて無理にさせられたものであるとの事実は必ずしも明らかでないけれ共、此の様に駐在所の狭い調べ室で被疑者が初めて巡査から取調べを受ける場合に他の捜査官憲でない一私人が同席して自白を励める等の言動に出でた場合における右被疑者の自白は少くとも任意になされたものでない疑のあるということは之を認めることが出来る」（広島高判昭二五・一〇・二〇刑集三・三・五〇八）。

四　それ以外の平静な判断能力を奪う事情の下での供述

取調官その他国家の側で作為した情況ではなく、自然的社会的出来事が被取調者の心理に影響を及ぼし、それによつて自白したばあいも、もしそのような事情がなければ自白しなかつたであろうという関係にある限り、純粋に自発的だとはいえない。然し既に外部的誘引について説明したように任意ということは無原因ということではなく、或いは不法不当の誘引によらず（人権擁護説）、或いは虚偽の陳述を引出す誘引によらず（虚偽排除説）ということである。従つて、ここに取扱う問題は本来は自白の任意性に属しない問題である。ただ判例は自白の任意性の問題として取扱つているので、便宜上広義の任意性の問題として、ここで取扱うこととする。

このような病気による心身の欠陥や社会的事件による精神的打撃に基く供述が証拠能力を持つかどうかを決するものは供述能力の有無である。供述能力とは自ら供述する事柄の意味を知る能力と供述内容があつたと主張する能力を含むであろう。自白も供述の一種であるから供述能力のない状態における発言は自白とはいえない。とはいえ全く証拠にならないと言えるかどうかは疑問であつて、おそらく非供述証拠・情況証拠としては証拠になりうるであろう。供述能力のあるばあいの心身の障碍、精神的打撃は証明力を左右する事情に止まると考える。

以上のように心身の障碍、精神的打撃自体は本来の任意性を左右する事情ではないが、他の事情と相俟つて、本来の任意性の問題となることがありうる。先ず第一に国家ないし取調官がこのような状態を作為してこれを取調べるばあいである。麻酔分析によるアミタール・インタービューはその代表的な例である。第二にこのような状態が国家の側に作成せられたものでなくても、このような状態を利用して国家側で取調べるばあいである。このような状態が通常のばあいに比し、はるかに軽微な誘引や圧力によつても任意性を失わしめるであろう。この限りにおいてこれらも自白の任意性に関係を持つのである。

（一）病中の取調・供述

【58】「記録によると、論旨援用のような診断書があるし、原審第一回、第三回及び第四回公判調書には被告人が病気のため出頭しなかつた旨の記載があるから、当時被告人が病状にあつたことはこれを推認することができる。しかし被告人は原審第六回公判期日には弁護人列席の上審判を受けたのであつて、同期日には被告人ならびに弁護人から公判審理に堪えない旨の申出もなく審理が行われているところを見ると、当時被告人が病状にあつたということだけで当日の公判廷における自白を目して強要された不利益な供述であるとか強制、拷問、脅迫による自白であるとか即断することはできない」（最判昭二五・七・一一刑集四・七・一二九〇）。

【59】「原審公判調書中証人Aの供述記載によれば、被告人は、昭和二十四年二月八日急性胃腸カタルに罹り、医師の診察を受け、三日分の頓服を服用し、同月十日十一日の二回に鎮痛剤の注射を受けていたことを認めることができるが、その病状は取調に堪え難いものではなかつたことは、同証人の右供述記載に依り明らかであり、且つ証人Bの供述記載に依れば被告人の司法警察員Bに対する供述調書記載の供述は、被告人の病状のため、その任意性に影響を及ぼすことはなかつたことを認めることができるから、被告人の右供述調書は所論の事由に依つて任意性を欠くものではなく」（東京高判昭二六・一〇・一六刑集四・一二・一六〇一）。

【60】「被告人がたとえ当時三七度一分の発熱状態で取調をうけたとしても、この程度の発熱状態では経験則上普通人ならば未だ取調をうけてこれに耐えることができない程の心神状況には達していないものと認められるので、このこと丈で被告人の当時の供述には任意性がないものと認められない」（東京高判昭二六・二・一三特二五・四五）。

以上第一の例では公判廷における自白であり且つ弁護人の立会いもあるのだから、おそらく病状を利用しての誘引はなかつたものと認められる。第二の例ではこの点の疑問は取調に当つた者を証人として呼びその時の状況を調べた上で任意性がなかつたとするのであるから一応審理は尽したとはいえる。第三の例では取調に耐える程度の病気であることがそれ自体として任意性に影響ないとするのはその通りだが、同時にどのような取調べがなされたかを併せて考えなければ、真に任意性の有無は決定されない。

（二）麻薬・覚醒剤常用者の供述　麻薬・覚醒剤の常用者は薬剤の切れた時は苦痛を伴う禁断症状を呈し、薬剤のきいている間は一種の酩酊ないし興奮状態を呈し、いずれにせよ常人の心理状態と異るのみならず、禁断症状中薬剤を欲求することが強烈で、それだけに誘惑に陥入り易い状態にある。従つて、これらの状態を利用して誘引し自白せしめたようなばあいには自白の任意性が疑われるに至る。しかし、このような誘引がなく単にかかる特殊な心理状態から自白したという一事を以てしては、自白の任意性に影響ないとしなければならない。

判例はモルヒネ中毒患者につき、

【61】「仮に所論のようにモルヒネ中毒患者であつたとしても被告人が逮捕せられた直後の昭和二十五年七月九日とその後九日経過した同月十八日の両度に被告人は検察官にそれぞれ本件犯行を自白したのであつて、殊にその後者の分は相当詳細に自己の犯行を供述しているのみならずこれを前記証人の証言と対照検討するとき被告人が任意供述したものと認められ右供述当時所論の如き心神耗弱の状態にあつたが故に任意に供述したものでないとの疑を容れる余地もない」（東京高判昭二六・二・二八特二一・二三）。

としている。

又ヒロポン中毒者については上述の二つの判例を参照せられたい。【38】では「被告人は強烈な禁断症状を呈していたものではなく、注射後も其前とはほとんど変つたところはなかつたことは……認められるところであるから」任意性を失わないとし、【39】の判決が「右の様な中毒患者の精神状態が正常でないことは多くその例を見る事実であるからその中毒症状中の供述は任意性を欠くやの疑いを抱き得るのみならず」として、精神状態の正常不正常が供述の任意性の有無の岐れ目の如くしているが、それは供述能力に関する限りいわれることであつて、しかも任意性の問題とは別個のものであることを知らなければならない。

（三）　異常な精神的打撃を与える社会的事件の影響　異常な精神的打撃を与えるような社会的事件による異常興奮が原因となつて自白をしたばあいも前二者と類似の関係にある。ただ、このような状態を取調官の側で作成しえない点が前二者と異るだけである。

多数の事故者を出した交通事件における異常興奮を利用した事例につき

【62】（事実）　乗合自動車内に持ち込んだ映画用フィルムが車内備付蓄電池と接触ショートし電気的発熱の結果フィルムに引火車内は火焔とガスが充満し、三〇名が即時焼死三名が数日後死亡、一二名が重軽傷をうけた。

（要旨）　「多数の死傷者を出した交通機関の事故につき業務上過失致死傷の嫌疑をうけた被疑者が捜査官憲の取調をうけた当時、事故の結果が余りに大であつたため、その精神状態が相当興奮しており、また取調官が多数の犠牲者のことに言及して幾分追及的取調をなしたため、ある程度の心理的圧迫を受けていたとしてもその程度があまりに極端にわたらない限り、かかる心理的状況下における供述が直ちに任意性を有しないとはいえない」（高松高判昭二九・四・二〇刑集七・九・一三二二）。

としているが、このような興奮状態における追及的取調は、通常の心理状態におけるよりは一層軽微の程度においても任意性を失わしめることがあることを知らなければならない。

然しこのような興奮状態の下に自白したとしても、それを取調官が利用したものでない限りは任意性の問題ではありえない。従つて次の判例は正当である。

【63】「所論の当時被告人の子供が相当の重病であつたことは真実であるが、記録に徴するに取調官は取調に際し被告人の子供の病気を知らなかつたもので、之を利用した如き事跡は全然窺えないのであるから、被告人の自白は自白を強いる為の外部的圧迫による精神的苦痛の結果なされたものではなく、自発的意思決定に基きなされたものというべく、その他所論の事情は仮にあつたとしても、それのみを以て直ちに自白の任意性を否定するを得ない」(仙台高判昭二七・一・二六特二二・九二)。

尤も、このようなばあい被告人が拘束を受けていて、自白することにより早く拘束を解かれたいとの考えが動機となることもあろう。そうなると自白の任意性の問題と近づくが、しかも、別段取調官の側で作出したものではないのだから、やはり任意性の問題ではなく、単に証拠の評価の問題にすぎないと考える。

五　自白の有無に影響を及ぼすべき手続違反

自白そのものは何等違法な又は虚偽を導くべき誘引によつたものではないし、又別段平静な心理状態に影響を及ぼすような外的事情があつた訳ではないし、従つて自白は任意になされたものであるが、ただ事前の手続において法令違背があり、しかもその法令違背がなかつたならば或いは自白が無かつたかも知れないばあいが次に問題になる。問題は結局被告人の黙秘権を保障する手続に違反したばあいに起るであろう。理論的には違法な手続により得られた証拠を排除するかどうかの証拠禁止の問題であり、強いて任意性と関連せしめるならば、取調官の黙秘権を尊重しない態度を示す証拠として、他の積極的誘引の主張と相俟つて一つの情況証拠としての役割は果すであろう。とはいえ、このような事例も自白の任意性を欠かしめる事由として申立てられており、又判例も任意性の有無として論じている。

(一)　黙秘権・供述拒否権を告げなかつたばあい　これがこの種の代表的事例であり、判例の数もきわめて多い。

問題は先ず黙秘権を告げないことが憲法違反であるかどうかから起つている。

【64】「憲法はその第三八条第一項において……、被告人にいわゆる黙祕の権利あることを認めているが、所論のごとく裁判所に対し、訊問の事前にその権利あることを被告人に告知理解せしめ置かねばならぬ手続上の義務を命じてはいないのである、それ故かような手続を執らないで訊問したからと言つて所論のように被告人の供述を強要し又は裁判手続に違憲ありと言い得ない」(最判昭二三・七・一四 刑集二・八・八四六)。

次に応急措置法時代には黙秘権を告知する義務を規定したものがなかつたから同様違法でもないことになる。

【65】「憲法第三八条は、裁判所が被告人を訊問するに当り予め被告人にいわゆる黙祕の権利あることを告知理解させなければならない手続上の義務を規定したものでなく、従つてかような手続をとらないで訊問したからとて、その手続は違憲とは言い得ず、刑訴応急措置法第一〇条に違反するものでないことについては、当裁判所の判例とするところである(昭和二二年(れ)第一〇一号昭和二三年七月一四日大法廷判決)。そして、この理は捜査官の聴取書作成についても異るところのないことは右判例の趣旨から窺われる。されば、原審並びに検察事務官がその取調に際し被告人に黙秘権のあることを告知しなかつたからとて所論のような違法はな

く、またこれらの取調に基く被告人の供述が任意性を欠くものと速断することもできない」（最判昭二五・一一・二一刑集四・一一・二三五九）。

この判決により最高裁判所は黙秘権不告知が違憲でないことを判例的に確立すると共に、当然のこととして捜査官の取調についても同様であることを確認した。更に最高裁判所は一歩を進めて、

【66】「本件公判廷においては、裁判所の訊問に対して供述するか否かは被告人の自由である。仮りに所論のように、被告人が供述の義務あるものと誤信して供述したとしても、これを以て裁判所が供述を強要したものということはできない」（最判昭二四・二・九刑集三・二・一四六）。

とした。

然るに現行刑事訴訟法が捜査機関及び裁判長に黙秘権告知の義務を科すると共に（刑訴一九八条二項・二九一条二項）、黙秘権の不告知が訴訟法違反であることが確立すると共に、黙秘権不告知が自白の証拠能力に影響を及ぼすかどうかの問題が生じた。最初に現れたものは、被告人の承認があるということで自白の任意性に影響なしとするものであつた。

【67】「原判決が証拠として挙示している司法警察員の被告人及び原審相被告人に対する各聴取書並に相被告人に対する第二回聴取書に夫々供述拒否権のあることを告知した記載のないことは所論の通りである。しかし、（イ）これら聴取書の末尾には夫々供述録取の後之を読聞かされ相違なき旨申立て署名捺印の上拇印した旨の記載があり、（ロ）その後被告人に於て検事の取調を受けた際本件綿糸取引については警察で申上げた通りである旨供述して居り、（ハ）原審公判廷でも被告人はこれ等の聴取書を証拠とすることに同意している事実から考察するときは検察官からこれ等の供述が任意になされたとの立証を俟つまでもなくこれ等聴取書の内容供述が任意性を欠くの疑いはこれをさしはさむべき余地がない」（大阪高判昭二五・三・一三特一〇・四五）。

しかし、このような承認が任意性の存在とどのように関係するか疑問であり、異議権の放棄の問題ではないかと思われるが、混同があるように思われる。

次にこの問題を正面から採り上げた判例が現れた。

【68】「刑事訴訟法第一九八条第二項において検察官、検察事務官又は司法警察員において被疑者を取り調べるに際しては、あらかじめ供述を拒むことができる旨告げなければならない旨規定して所謂被疑者に対し黙秘権を認めているのは憲法第三八条第一項に何人も自己に不利益な供述を強要されないとしている一般人権擁護規定に対応して特に被疑者について定められた一層強力な規定ではあるが自白又は自認内容の真実性自体とは何等実質的関係はない。右所謂黙秘権の予告をすべき場合であるに拘わらず、これをしないで取調をしたとすれば該取調官の過怠の責任はこれを免れ難いところであるとするも、その予告をしなかつたというだけの理由で直ちに当該供述調書に証拠能力がないとすることはできない」（東京高判昭二六・六・一八特二一・一一四）。

【69】「原審は（中略）昭和二五年二月四日の公判で初めて審理に入り、裁判官の人定質問の後検察官の起訴状朗読があり次いで検察官の証拠調の請求があり、起訴状朗読後刑事訴訟法第二九一条刑事訴訟規則第一九七条所定の所謂黙秘権の告知を怠つていることは所論の通りである。黙秘権が憲法第三八条に由来する訴訟上の大原則であつて刑事訴訟法第三一一条に対応する重要規定であることは勿論であるが、これらの規定は自白偏重の糺問的取調方法を戒める点に重点がおかれて居り、此の点からみて被告人に対しても供述を強要するものでないことを明かにしたもので黙秘権の告知を怠つた一事を以て直ちに其の後の供述の証拠能力がなくなると解すべきではなくその供述に任意性が認められる限り証拠能力があるものと解すべきで」ある（広島高岡山支判昭二六・九・二七特二〇・一二二）。

これらの判例の基礎をなす理論は実体法的評価と手続的評価の峻別ということで、手続違反がその官憲の責任問題を生じることがあつても、それから得た証拠が真実を表す限り証拠に採用して差支ないとするもののようである。尤も後の判例は明らかでなく取調方法を戒しめるとする点で訓示規定と解しているようにもとれるが、それならばその誤りは明らかである。いづれにせよ黙秘権の不告知の故に黙秘権の存在を知らず自白したというのであれば、法の予想するユースに従つて得られた結果とは異つた結果に到達するのであるから、訴訟手続違反が判決に影響を及ぼすばあいとしなければならないのではなかろうか。その意味からすれば、黙秘権を告げないで得られた証拠を判決基礎にしているものは、他の事情を除いて考えれば、破棄を免れず、その点間接的に証拠能力を否定されることになろう（但し、これは本来の自白の任意性を欠くからそうなるのではない）。

しかし、供述拒否権を告げたとの記載がないということと黙秘権を告げなかつたということとは別個であつて、記載がないことから直ちに供述調書の証拠能力を否定することにならないのは勿論である。

【70】「被告人の昭和二十四年六月十三日函館区検察庁における検察事務官に対する供述調書には、あらかじめ供述を拒むことが出来る旨を告げたとの記載のないことは所論の通りであるが、記載中、同被告人に対し該供述拒否権を告知した旨記載されているから、被告人は該拒否権あることは之を承知していたものであつて、従つて右検察事務官に対する供述調書に其の旨の記載がないからといつて直ちに其の証拠能力がないということは出来ない」（札幌高判昭二五・四・一二特七・五九）。

【71】（要旨）「所論の供述調書は被告人の副検事に対する第三回の供述調書であるから、其の調書の冒頭に供述拒否権を告知した旨の記載がなくとも、之を以て直ちに右副検事は其取調を為すに当り全然右の告知を為さなかつたものと即断した右調書は其の告知を欠いた違法の供述調書であると為し得ない」（東京高判昭二六・

三・二四特二一・四七）。

なお、参考人の取調には供述拒否権を告知する義務はない。ただ未だ被疑者と確定しない者で一応参考人として取調べ、その上で被疑者として扱うばあいもあろうし、又共犯関係につき他の被疑者に関する事項を参考人として取調べるばあいもあろう。このようなばあいも人権擁護の趣旨からは供述拒否権を告げるのが妥当である。だがこのばあい告げなかつたからといつて訴訟法違反になる訳ではない。従つて証拠能力には影響がない。

【72】「検察官、検察事務官または司法警察員が或る者を被疑者として取り調べたとしてもこれを他人の被疑事件について被疑者としてではなく参考人として取調べる場合には刑事訴訟法第一九八条第二項所定の所謂供述拒否権あることを告知する要はない。しかし取調べ事項がその者に対する現に繫属中の被疑事件と共犯関係若しくは必要的関連性を有する場合には所論のように右法条の趣旨に鑑み該拒否権あることを告知することは望ましいことでありまた妥当であると解すべきも、これを欠如するからというて苟も任意になされたその供述調書を所論のように証拠能力がないと解するのは適切ではない。これ右拒否権告知の欠如は稍もすれば所謂任意性を疑われる場合必ずしも無しとせざるもこれを以て直ちに証拠能力の有無に影響があると速断することは正当でないからである」（東京高判昭二六・四・六特二一・六〇）。

【73】「原判決が原判示事実を認定するにつきU……の副検事……に対する各供述調書を援用していること竝に右各供述調書中には、供述者に対しあらかじめ供述を拒むことができる旨を告げた旨の記載のないことは所論の通りである。しかし刑事訴訟法第二百二十三条第二項は検察官、検察事務官、又は司法警察職員が犯罪捜査の必要上被疑者以外の者を取り調べる場合には、……供述を拒むことができる旨をあらかじめ告げる必要はない趣旨であると解することができるのであつて、右U……は、……被疑者として取り調べられたものでなく被疑者以外の者として取り調べられたものであるから、その供述内容が、各供述者自身の衆議院議員選挙法

違反の事実に関するものであるにしてもあらかじめ供述を拒むことができる旨を告げる必要はないものといわねばならないのである。蓋し、被疑者以外の者として取り調べられる場合においては、未だその供述に依り自己が刑事責任を問われる段階に立つていないと共に、犯罪の捜査についてこれらの者の協力を必要とする点が考慮されねばならないからである」（東京高判昭二六・一〇・一六刑集四・一二・一六〇一）。

最後に行政手続における犯則事件につき供述拒否権を告げなかつたのが、憲法違反でないとするものにつき、

【74】「憲法第三八条第一項に……というのは、専ら刑事手続即ち犯罪の捜査及び裁判の手続に関する規定であり、行政機関によつて行われる行政手続については、その適用がないと解するのが相当である。……もっとも、犯則事件の調査は犯罪の捜査そのもののための手続ではないにせよ、他日刑事手続に発展する可能性もあることであるから、この意味において……犯則嫌疑者に対し予め供述拒否権を告知しておくのが妥当であろうけれども、このような手続を取らなかつたからといつて、その手続が違法であるとはいえないのは勿論、このような取調に基く犯則嫌疑者の供述がただこれだけの理由で任意性を欠くものと速断することはできない」（福岡高判昭二六・一〇・一〇刑集四・一〇・一二七一）。

(二)　弁護人選任権の不告知・接見制限の不当　これらも訴訟手続上の違法・不当であるが、ただこれらが正しく行われていたならば、黙秘権を行使したかも知れないという意味で、自白の有無と因果関係を持つ。ただ、その関係が黙秘権の不告知に比し一層間接的であるから別に黙秘権が告げられている以上、一般に証拠能力に影響を及ぼさないであろう。先ず弁護人選任権の不告知につき、

【75】「右の告知をしていなかつたとしても、それがため、直ちに被告人の司法警察員に対する供述調書がその証拠能力を失うものではない」（仙台高判昭二七・六・二八特二二・一三八）。

次に接見制限の不当接見への警察官の立会につき、

【76】「被疑者として警察に身柄を拘束されていた間に弁護人との面接時間が二分ないし三分と指定され、しかも右面接の際警察官が立ち会つていた事実があつたとしても、右被疑者が検事に対してなした自白に任意性があるか否かはそれらの事由とは関係なく、その自白をした当時の情況に照らして判断すべきものである」（最判昭二八・七・一〇刑集七・七・一四七四）。

【77】「両名（ＡＢ）の右供述調書及び刑務所の収容者身分帳簿謄本によると該供述は両名が被疑者として勾留中検察官の取調に対してなされた供述であり、Ｂは四月二十五日から勾留せられたが、同日刑事訴訟法第八十一条による交通制限がなされ、検察官は同法第三十九条第三項により、弁護人との交通に関し四月二十七日午後二時五十分から二十分間五月二日及び三日何れも午前九時三十分から三十分と日時及び時間を指定したことは明らかであるが、この為に被疑者の防禦権を不当に制限したとは認められないし、指定した回数が少く時間も二、三十分宛であつたということから直ちに勾留中の被疑者の供述には任意性がないという結論にはならない」（札幌高判昭二五・一二・一五特一五・一八八）。

六　その他任意性なしとした事例

【78】「被告人の『他人の自転車を料理店に遊興費の担保として差し入れた』旨横領の事実を自白している供述調書は、当該料理店経営者が『被告人から自転車を担保にとつたことはない』と供述し、また被告人が公判廷で『警察でも検察庁でも本件の自転車は盗まれたのであると一応は供述したのであるがそんなことは嘘だと言つて取り上げて呉れず裁判所の勾留尋問のときも盗まれたことを申したところ細い事は公判廷で言えといつて取り上げて呉れなかつた』旨陳べているときは、前記自白調書は被告人の不任意にもとづくものであり、かつ不相当である」（名古屋高判昭二五・一一・二特一四・七一）。

このばあい有力な証拠が自供と相反するということが、任意性なしと断定される有力な根拠になつているようである。任意性の問題を考えるばあいにも真実性を参照する裁判所の態度をよく示している点で興味ふかい。

五　自白の任意性の立証

一　挙証責任

挙証責任を実質的挙証責任、即ち真偽不明のばあいに不利益を受けるべき地位と解するならば、検察官が自白の任意性につき挙証責任を負うことは明らかである。通説は「任意にされたものでない疑のある」ということからこの結論を出しているが、自白を証拠として出すのは検察官であるから、それが同時に証拠能力があるものであることの挙証責任は当然だとする立場もある（江家「証拠法の基礎理論」四二頁）。これに対して形式的挙証責任又は挙証の必要、即ち証拠を提出しておかなければ事実上不利益に認定される地位という観念を認めると、問題はやや複雑になる。というのは、特に自白調書のばあい、供述拒否権を告知した上での供述を録取し、読み聞かした上で供述者の署名押印されていることから、自白は一応任意にされたものと認めるのが自然だからである。そこで先ず被告人側に、任意性につき一応の疑問を生ぜしめる程度主張立証を行う負担を生ぜしめ、その結果裁判所が任意性に疑いを抱いたばあいには、検察官の側において裁判所に納得がいくまで任意性を立証する負担を生ぜしめるのである。然し、これはあくまで事実上の負担であることに注意しなければならない。例えば、被告人側から不任意の主張がなくても供述記載の内容自体から裁判所が任意性に疑問を抱くばあいもあろう。

判例も、一見挙証責任を被告人に転換しているように見えるものがあるが、実は上来述べ来つたところと同様の立場にあるものと思われる。次の判例は既に述べた【47】ものであるが、その少数意見と共に問題の所在を比較的明確に示していると思われるので再録する。

【79】「被告人は原審公判において、裁判長から司法警察官の第一回訊問調書中、キンに対する殺意のくだりを読み聞かされた際に『その時は警察官に叱られたので、左様に殺すつもりで欧つたと申し上げましたが、実際は殺す気がなかつたのであります』と述べ、また第一審公判においても、同様右調書について係官が『そうだろうそうだろうと申すのでとうとうそうだと申しておいたのでありましたが云々』と述べていることは記録上明らかであるけれども、これだけのことによつて、直ちに、右自白が強制にもとづくものであるということのできないのは勿論である」(最判昭二三・七・一四刑集二・八・八五六)。

この多数意見に対する栗山裁判官の少数意見は、

「被告人が裁判所で、司法警察官なり検察官なりの聴取の際に、強要されたと主張するとすれば、論理上は一見主張する側に挙証の責があるように思われるけれども、実は公訴機関が右聴取書を証拠として提出する以上は(弾劾制度の建前からいえば左様に考えるべきである)強制が加わつていない供述だけを証拠として提出すべき義務があるものであるから、公訴機関側に強制が加わつていないことの挙証の責があるというべきである。而してこれは刑訴応急措置法第十条がある以上、事実審理にあたる裁判官の看過してはならぬことである。こう考えると、第一審第一回公判で、被告人が司法警察官に聴取の際強要されたと主張する以上、裁判所は検察官側に対して聴取書に強制が加わつていないことを立証させ、強制の事実を取調べた上でなければ被告人の供述を証拠にとれないものというべきである。即ち被告人乃至弁護人が本件警察官を証人としてその喚問を申請しなくとも、裁判所は職権を以てその事実を取調べて、被告人の主張する強制があつたとしても、経験上その強制が憲法第三八条刑訴応急措置法第十条にいう強制かどうかを判断した上で証拠にとるべきである。」

多数意見も被告人側に挙証責任を転換するものではなく、被告人の供述程度では強制にもとずくかもしれないとの一応の疑問を抱かせる程度に達しないと見るに対し、栗山裁判官の意見は挙証責任は検察官側にあるのだから強制によるとの主張がある限り、検察官側に強制によるものでないとの立証の責任があるとするものである。意見の岐れるところは被告人側に一応疑問を抱かしめる程度の挙証の必要（形式的挙証責任といってもよいかもしれない）を認めるか、それとも単に主張だけで検察官側に挙証の必要を認めるかの違いであるように思われる。しかもこのばあいの被告人の供述が一方では主張でもあり又一方では自らの体験を述べるという意味で挙証でもあるので、事態を一層混乱せしめているように思われる。ただ、供述内容と記名押印とから一応任意性が（事実上）推定されるという立場を採る限り多数意見に賛成する結果となる。又被告人の「強制による」「任意にしたものでない」等の抽象的主張によって、その都度検察官が任意性を立証しなければならないのは、実際的解決方法ではなかろう。

次の判例は一応小数意見の線に従ったものと思われるが、ただ被告人に質問して任意性を認定している点で一貫を欠くように思われる。

【80】「刑事訴訟法第三百二十二条によれば被告人の供述を録取した書面で被告人の署名若くは押印のあるものはその供述が被告人に不利益な事実の承認を内容とするものである場合その承認が任意にされたものであるときはこれを証拠とすることが出来るのである。そしてその供述の任意性の挙証責任が訴追側にあることは所論のとおりであるが原審において弁護人にその挙証責任を転嫁した事実は認められない。原審第三回公判調書の記載によれば原審は所論被告人の供述調書について、これを証拠とすることに対して弁護人より異議申立があつたので被告人に質問した結果右調書の内容たる被告人の自白は任意に為されたものであることを確認したことが認められる。従つて原審が右供述調書（勿論被告人の署名押印もある）を断罪の資に供したことは何等違法ではない」（仙台高判昭二四・一〇・二七特三・一八）。

このような挙証の必要と実質的挙証責任とのかみ合せによつて、数種の問題が生じるが、その中判例に現われた例をひろうと、

第一に供述調書作成過程における不完全を主張した事例がある。先ず、被告人が調書末尾の署名は自分のものであるが、内容は警察官が自分の言わなかつたことを書いたとの弁解に対し、

【81】「しかし右供述調書はいずれも被告人に不利益な事情の承認を内容とし、且つ被告人等において同調書を読み聞けられた際誤りない旨申立て署名押印した旨の各記載があるのみならず原審公判廷において該供述の任意性をみとめた上前記各供述調書を証拠として採用したものであることが認められるのであつて、供述の任意性を認めるためには必しも供述調書の作成者を証人として尋問することを要するものではないから原審裁判官のなした前記証拠決定並にその施行は適法である」（大阪高判昭二六・三・八特二三・三九）。

とし、次に調書作成後の読み聞けを欠いたとの主張につき

【82】「検察官が被告人に対する供述調書を作成するにあたつてあらかじめ同人に対しこれから口授して作成するから調書に間違つていることがあれば申し立てるように告げ、被告人の申立に従つてそのつど供述を訂正して調書を作成したうえ、最後にその調書中に相違していることがあるか否かと尋ねたうえ署名、押印を求めたことが明らかであるときは、調書作成後被告人に読み聞かせなくても右供述は任意にされたものと認めてさしつかえない」（東京高判昭二五・八・四特一一・一七）。

としている。なお黙秘権告知の記載のないばあいについての上述【70】及び【71】も同一のカテゴリーに入るであろう。

次に被告人側から供述調書の任意性を一応疑うべき事実が主張・立証されているのに、これを無視して任意性を認定した事例につき、

【83】（事実）　被告人の警察官の自白調書と検察官の自白調書が喰い違つており、被告は第一審以来終始犯行を否認し、警察官の供述調書の任意性を争つており、第一審は取調にあたつた警察官K及びSを証人として、強制拷問の存在しない旨の供述をえて任意性を認めた。然るに弁護人は控訴趣意において右供述調書が拷問により作成された旨主張し、事実の取調べに入るや上述K及びSから別件で取調べられた際暴行を受けたとする証人及び被告人の取調の際強制暴行を受けた目撃証人として司法巡査Sの尋問を求めたに対し原審は却下している

（判旨）「しかるに原判決は、被告人が検挙後短期日の間に自白を繰返していることと第一審証人S・Kの供述記載を綜合して右自白の任意性を認めるに十分であるとしているけれども、右各自白の趣旨は前敍の如く必ずしも一致しているとは認められず、検挙後短時日の間に自白を重ねたからといつて、そのことから直ちに強制の事実なしと云えないばかりでなく、前記両証人の供述内容は被告人の具体的事実を挙げての発問に対し、ただ抽象的形式的に強制の事実を否定するのみで心証形成に資するところ極めて乏しいといわなければならない。加うるに犯罪事実の認定についても疑問の余地ある本件の如きにあつては、原審としては須らく右供述調書の任意性調査のためなお一段の審査を遂げなければならないものと考えられるのである。しかるに被告人側の右証拠申請をすべて却下し、また職権による調査も行うことなく、たやすく右供述調書の任意性を肯定した原判決は、この点審理不尽の違法あるものといわなければならない」（最判昭三〇・一二・二六。裁判所時報二〇〇・二三）

その他、警察における肉体的苦痛を伴う取調の結果を反覆していると疑われる一両日後の検察官に対する自白を採用したこと上述【11】及びヒロポン中毒者がヒロポン注射と交換条件で自白したと弁解しているばあい上述【39】いずれも審理不尽としているのは同種の例である。

最後に被告人の陳弁だけで不任意を認め検察側の任意性の証拠を調べなかつた審理不尽につき、

【84】「警察で白状せねば帰してやらぬと云われ、刑事に同調して自白したという被告人の陳弁が必しも信

用し得ないのに、自白の任意性立証のため検事が申請した警察官、検察事務官の尋問もなさず、慢然と自白調書の任意性を否定したのは審理不尽」（高松高判昭二六・六・五特一七・一四）。

【85】「故に本件被告人の自白が強制に基くものであるか否かは単に被告人の犯行に対する供述の動揺することや、公判廷における証人としての警察官に対し被告人の執つた態度の「堂々たる勇敢さ」を以て決すべきではなく、其の自白の内容の真実に適するかどうか、被告人の性格並に人物はどうであるか、被告人がどういう動機で自白するに至つたかなどの具体的事情を証拠に照らして観察することによつて決すべきである。

しかるに原審は其の取調に諸般の証拠を十分検討して被告人の自白内容の真実性を発見する努力を傾けた形跡がない上、既に触れた被告人の激越で特異な性格と窃盗を行うような低級な性癖の示す卑屈で虚構に満ちた人格に目を蔽い前記のような判断の下にその自白調書の任意性を否定したのは不当である」（名古屋高金沢支部判昭二九・三・一八特三三七・一〇）。

二　任意性立証の時期・方法・手続

任意性の有無の調査は証拠能力に関する事実に関するものだから証拠調に先立つて行わなければならないかの問題がある。そしてこれを肯定する根拠は刑訴三二五条が「あらかじめ……任意にされたものかどうかを調査した後でなければ、これを証拠とすることができない」と規定しているのに求められる。然し判例は、証拠を判決の基礎にする以前という意味に解している。

【86】「案ずるに公判廷外に於ける被告人の自白の任意性の有無について、あらかじめ、これを調査しなければならないことは所論の通りであるが……陪審制度を採用していないわが刑事訴訟法の建前からいつて、その調査は必ずしも証拠調の事前においてこれを行うことを要せず、その証拠調の際若しくは判決をなすに当つてこれを行うも差支ないものと解するを相当とする」（福岡高判昭二五・一一・二二特一五・一六六）。

【87】「被告人が証拠とすることに同意しない被告人の供述調書を証拠とするには、刑事訴訟法第三百二十

二条第三百二十五条により、右供述が任意に為されたことが明かであつて、その供述調書に被告人の署名押印があり、その内容が被告人に不利益な事実の承認でなければならぬが、右各要件の調査を確めた後でなければ、右供述調書の証拠調は違法で、これを証拠とすることができないものと厳格に解すべき理由はない。供述の内容が不利益な事実を承認しているものかどうか、任意性があるかどうか、署名押印があるかどうかは、総合的に取り調べることによつて、証拠能力があるかどうかが判明することが多いからその証拠調の方法については厳重に解する必要はない」（名古屋高判昭二四・一二・一〇特三・三八）。

更に任意性につき争のあるばあいも、

【88】「その調査は訴訟当事者から異議の申立がない限り証拠の提出せらるる都度為すことは必要でなく訴訟終了までになせば足りるのである」（福岡高判昭二五・五・二特九・一三〇）。

この判例を逆に解すると異議がある以上その都度任意性の調査をしなければならないようであるが、次の判例はこの点を明らかにし、且つ一歩進めている。

【89】「凡そ裁判所は証拠能力のないことが明らかである証拠については原則上之が取調をすべきものではないことは勿論であるが、所謂供述調書の任意性につき争があると云う一事を以て直ちに其の証拠調をすることが出来ないものと為し難く裁判所は形式上それが証拠能力があると認めらるる場合訴訟経過に鑑み任意性につき争のある儘一応其の証拠調を行い任意性については右証拠の取調後において供述内容其の他の諸般の情況に照して之を証拠として採用するか否かを決定し得るものと謂わなければならない」（東京高判昭二五・二・一七）。

次に証拠調の手続・方法については、いわゆる「厳格な証明」を必要とするか「自由な証明」で足りるかは、争のあるところである。通説は自白の任意性の基礎事実が要するに手続法上の事実だから「自由な証明」で足りるとするに対し、憲法上の問題だから「厳格な証明」を必要とする説もある。

判例は「自由な証明」説と同じく手続・方法等は任意に行えばよいとする立場である。

【90】「刑事訴訟法第三百二十五条は裁判所の供述の任意性の事前調査を命じていること所論の通りであるが、その調査方法については特別の規定がないから裁判所の適当と認める方法によつて差支えない。故に任意性の点につき特別の証拠調を行うことは勿論考えられるが、常にそうまでせずとも問題となつた供述そのものの内容自体から任意性があるものと判断することも可能である。今被告人の本件調書を検討するに、その冒頭に於て検察事務官は同被告人に対し、黙秘権を告げた上任意に供述せしめた旨の記載があり、末尾には右供述録取書を読み聞かせたところ同被告人は誤のない旨申立て、署名押印した旨の記載がある。而も第二回公判調書によれば検察官より右供述調書の取調請求のあつた際被告人弁護人共にその取調べに異議はないと述べており、第三回公判調書によれば右供述調書を含む各証拠につき訴訟関係人はその証明力につき別に争はない旨を陳述していることが明らかである。斯る情況にあつては、原審が本件供述調書については供述内容自体からその任意性のあるものと判断したものと解するのが相当である」（名古屋高判昭二四・九・二九特三・五四）。

【91】「案ずるに公判廷外に於ける被告人の自白の任意性の有無について、あらかじめこれを調査しなければならないことは所論の通りであるが、その調査の方法については、特別の規定がないので供述調書又は供述自体の内容形式により或は証人尋問をするなど裁判所が適当と認める方法によりその任意性の有無を調査検討すれば足りる」（福岡高判昭二五・一一・二二特一五・一六六）。

なお調査したことを公判調書に記載しなければならないかの点についても、

【92】「公判廷外における被告人の自白を証拠とするについてその任意を調査すべきことは所論の通りであるが、そのことを特に公判調書に明らかならしめる必要はない」（名古屋高判昭二五・四・一九特七・一〇〇）。

尚これらの点は次の最高裁判決により総決算された。

【93】「供述調書の任意性を被告人が争つたからといつて、必ず検察官をして、その供述の任意性について

立証せしめねばならないものでなく、裁判所が適当の方法によつて、調査の結果その任意性について心証を得た以上これを証拠とすることは妨げないのであり、これが調査の方法についても格別の制限はなく、また、その調査の事実を必ず調書に記載しなければならないものではない。かつ、当該供述調書における供述者の署名・捺印のみならずその記載内容それ自体もまたこれが調査の一資料たるを失わないものと云わなければならない」（最判昭二八・一〇・九刑集七・一〇・一九〇四）。

最後に任意性を認めた理由の説示を要しないのは当然である。

【94】「所論の各供述及び原判決の引用する松山地方裁判所大洲支部……事件の第四回公判調書抄本を精査すると、所論各供述の任意性又はこれを信用すべき特別の状況の存在を肯定するに十分である。又これらの証拠を採用する理由はこれを判文上明示するを要しないものと解すべきである。これを証拠として採用する以上、任意性又は信用すべき特別の情況の存在を認めたことが明らかであり、これを認めた理由を説示することは法の要求していないところであると解するを相当とする」（高松高判昭二五・三・三〇特九・一八七）。

六　不任意の自白と被告人の同意及び証明力を争う証拠

一　被告人の同意

被告人の同意によつて不任意の自白は証拠能力を持つに至るか。答は否定的でなければならないと思う。けだし、同意による証拠能力を認める刑訴三二六条は「三百二十一条乃至前条の規定にかかわらず」とあり伝聞証拠として許容されるものであり、自白に関する三百一九条は関係ないからである。又証拠に関する同意は元来反対尋問権の放棄を意味するものであり、自己の供述に対する反対尋問ということがありえない以上、自白に対する同意ということは無意味である。然るに判例は三二二条に自白その他の自己に不利益な供述調書につき規定しているところから、形式的に三二六条は適用があるものとし、供述の情況を考慮し相当と認めるばあいは証拠とできるとするものが多い。

【95】「被告人に対する司法警察員及び検察官の各供述調書中でも被告人は自白しており、該調書を証拠とすることにつき被告人及弁護人は原審公判で異議なく同意したのであるから、最早自白の任意性の有無を論議する余地はなく(刑事訴訟法第三二六条参照)……」(福岡高判昭二四・一〇・五特五・三九)。

【96】「原審第二回公判調書によれば原裁判所は被告人及弁護人に対し所論の書面を証拠とすることに付異議の有無を問い被告人等において右書面を証拠とすることに同意し且証拠調に対しても異議なきことを確めた上、特に右書面が作成され又は供述がなされたときの情況をも検討し相当と認めて適法の証拠調手続を履践した上証拠に供していること明白である。然らば所論の各書面は刑事訴訟法第三百二十一条乃至三百二十五条の規定に拘らず、同法第三百二十六条によつて証拠能力を有すること一点容疑の余地がない」(福岡高判昭二六・二・一三刑集四・二・一七)。

これらの判決では不任意の疑いがあり証拠能力のないものでも同意により証拠能力を取得するが如く書かれている。然し、上述するようにその誤りは多く語るを要しない。これに対して次の判例は一見反対の見解を採るが如くである。

【97】「刑事訴訟法第三二六条第一項は当事者が証拠とすることに同意した書面又は供述についての証拠能力を規定し『作成又は供述当時の情況を考慮し相当と認めるときに限る』と制限しているのであるから、右のように任意性のない供述はたとえ当事者が証拠とすることに同意した場合でも証拠能力のないものと言わなければならない」(大阪高判昭二四・一二・一九特三・七〇)。

この判決の理由づけは必ずしも明らかでないが、任意性のない証拠は相当と認められないから、同意があつても刑訴三二六条により証拠にならないのだとするなら、前の判決よりは正しいけれども、未だ三二六条に拘束されている点で正しいとはいえない。

その点は、不任意の自白の証拠能力が同意で回復するかどうかの問題ではなく、三二五条の任意性の調査を同意があるばあい相当性の考慮を以て置き換えうるとする最高裁判所の判例の方が、もし三二六条を自白の任意性に応用するとすれば、より核心に近づいているといえる。即ち、

【98】「所論は憲法違反を云為するけれどもその実質は単なる訴訟法違反を主張するに過ぎないのみならず所論被告人の供述調書については被告人がこれを証拠とすることに同意していることが記録上明らかであるから刑訴三二六条によりいわゆる任意性調査に関する同三二五条の規定はその適用ないものといわなければならない」(最決昭二六・六・七 刑集五・七・一二四三)

【99】(要旨)「被告人が証拠とすることに同意した供述調書について、その調書の作成された時の情況を考慮して相当と認めたときは、これを証拠とすることができるのであつて、それ以上任意性につき調査するを要しない」(最判昭二九・一一・二三 刑集八・一三・二二九五)。

【100】「原審第一回公判調書によれば司法警察員作成にかかる被告人の供述調書に就ては之を証拠とすることに対し被告人及び弁護人に於て同意を与えているのであるから刑事訴訟法第三百二十六条に依り「相当と認めるときに限り」之を証拠と為し得るのであつて其の任意なりや否やの審査を要するものでは無い。而して相当なりや否やは他の証拠又は周囲の事情に照し常識上真実と認められ得る程度を指すものに外ならない」(名古屋高判昭二五・七・八 特一一・八二)。

たしかに、証拠能力の問題ではなく、任意性調査の手続を省略しうるかである。そして上述したように、三二六条は反対尋問権の放棄だから、単に任意性を承認することがこの意味での同意ではない

と考えなければならない。ただ、三二六条は「第三百二十一条乃至前条の規定にかかわらず、これを証拠とすることができる」とあることから、三二五条の手続の省略のみを同意して情況の考慮に代替しうるとするのが判例理論の基礎をなしていると思われる。然し三二五条は「前四条の規定により証拠とすることができる書面又は供述」についての調査事項を示しているのだから三二五条のみの同意ということは意味をなさない。恐らくは、被告人が任意性を承認したとしても、不任意の自白は証拠にしてはならないとの法規は人権擁護に基く公益規定であるから尚職権による一応の任意性の調査は必要であろうと考える。ただ判例も認めるように、これは自由な証明で足るのであるから調書のみによつて調査しても差支なく、その為に別個に証拠の取調を必要とするものではない。尚次の判例は異議権放棄による瑕疵治癒の問題としての解決を計つているが、三二五条を訓示規定と解するのは必ずしも正しくなく自白の証拠能力の規定が公益規定と見る限り瑕疵治癒は起りえない。

【101】「併し乍ら刑訴第三百二十五条の規定はいわゆる訓示規定に属し、同条の所定の調査を経ないで証拠調がなされた場合においても検察官或いは被告人側において異議を述べることなく経過し審理終結に至つたときは、ここに右手続上の瑕疵は治癒せられ該証拠調べは有効に為されたものと解すべきである」（福岡高判昭二五・一一・二三特三・一〇二）。

二　証明力を争う証拠

「第三百二十一条乃至三百二十四条の規定により証拠とすることができない書面又は供述であつても、公判準備又は公判期日における被告人、証人その他の者の供述の証明力を争うためには、これを証拠とすることができる」。これが、いわゆる自己矛盾の供述だけを含むかどうかは争のあるところであるが、それは兎も角、三二八条が含まれていることから、不任意の自白でも証拠になるのではないかとの問題が一応生じる。然し、三二二条は自白はもちろん（刑訴三一九条一項）、自白以外の自己に不利益な事実の承認においても第三一九条の規定に準じ、任意にされたものでない疑があるときは証拠とすることはできないのであるから、証拠の証明力を争うためにも証拠とすることはできない。この点についての判例が一つある。

【102】「苟くも原審裁判所が当該各供述調書を刑事訴訟法第三二二条一項但書により延いては同法三一九条一項により任意にされたものでない疑があるものとして却下した以上は同法三二八条により被告人又は証人の供述の証明力を争うためにもこれを証拠とすることができないものと解すべきこと洵に所論のとおりである」（東京高判昭二六・七・二七、刑集四・一三・一七一五）。

補強証拠

中武靖夫

はしがき

憲法三八条三項は「何人も自己に不利益な唯一の証拠が本人の自白である場合には有罪とされ、又は刑罰を科せられない」と規定し、この趣旨をうけついで、刑訴法三一九条二項は「被告人は、公判廷における自白であると否とを問わず、その自白が自己に不利益な唯一の証拠である場合には有罪とされない。」と規定している。これは憲法上並に刑訴法上、刑事被告人は、自白のみを証拠として有罪とされない権利を持つことを意味する。これを裁判所の側から見れば、裁判所は被告人の自白のみによつて犯罪事実を認定してはならない義務を有するということになる。すなわち裁判所は、証拠能力のある自白によつて、犯罪事実の存在について充分の心証を得たとしても、他に補強証拠がない限り、被告人を有罪とすることができないのである。この意味において、補強証拠の法則は、裁判官の自由なる証拠の評価(刑訴三一八)に形式的な法律的拘束を加えることになり所謂自由心証主義の重大なる例外の一を構成する。しかし此の事は、形式的に補強証拠が揃つた場合には、裁判所は必ず有罪の認定をしなければならないというのではない。有罪とするかしないかは、補強証拠に対する裁判官の、矢張り自由なる評価活動によるのである。この意味において、補強証拠の法則は、法定証拠主義の範疇から除外されねばならぬ。

勿論此の法則は、補強される証拠（主たる証拠）の証明力を控制するだけであつて、主たる証拠の証拠能力には関係がない。むしろ主たる証拠の完全なる証拠能力を前提にしてはじめて、此の法則を論ずることができるのである。判例は後述のように、被告人の自白は「半証拠能力（ハーフ・プルーフ）」を有するにすぎないと説いたが、明に証拠の証明力と証拠能力を混同した結果である。此の裁判所のあいまいさが、補強証拠の問題に幾多の困難を加えているのである。

補強証拠の法則は周知のとおり英米証拠法に由来する。大陸法系の刑事手続法における証拠法には、自由心証主義を以て一貫されているため、此のような法則は見られない。英米法においても、此のように証拠の証明力を控制する法則は数多くなく、叛逆罪事件、偽証罪事件、自白、共犯者の証言、強姦罪事件等に見られるにすぎない。我が現行法では、先にあげた被告人の自白に補強証拠が要求されているだけであり、共犯者の証言については学説上争がある。

私は今本稿を草するに当つて、問題を大きく二つに割り、先ず補強証拠を必要とする主たる証拠を限定し、第二に補強証拠そのものを取扱い度いと思う。第一の問題においては、「公判廷の自白」及び「共犯者又は共同被告人の自白」に補強証拠の法則の適用ありやいなやを論じ、第二の問題においては、補強証拠能力、補強を要する範囲、補強証拠の証明力が論ぜられる。そして最後に、以上の実体面の問題たる補強法則が手続面に反映した問題として「補強証拠の取調べの時期」を概観して筆を擱き度い。勿論本稿は自白の補強証拠の問題に関するものであるから、常に任意性に疑のない、完全な証拠能力を有する自白を前提とし、更にその自白は事実上は百パーセントの証明力を有する自白であることを前提としなければならない。けだし補強証拠の法則は、裁判官が自白だけで有罪の確信を得たとしても、それだけで被告人を有罪にしてはならないために起つて来る問題であるからである。

一　補強証拠を必要とする証拠

一　公判廷の自白

（一）はしがき　憲法三八条三項は「何人も自己に不利益な唯一の証拠が本人の自白である場合には有罪とされ、又は刑罰が科せられない。」と規定し、これをうけついで刑訴応急措置法一〇条三項はこれと同文の規定をおき、現行刑訴法三一九条二項は「被告人は公判廷における自白であると否とを問わず、その自白が自己に不利益な唯一の証拠である場合には有罪とされない。」と規定している。刑訴三一九条二項は明文を以て自白の補強証拠に関し公判廷の自白と公判廷外の自白とを区別しない建前を明にしているから、問題はないが、憲法及び応急措置法の規定は、文理上、此の点が不明であり、しかもこれ等の規定の母法たる米法においては裁判上の自白と裁判外の自白とを区別し、補強証拠を必要とするのは裁判外の自白のみであるとしているため、憲法三八条三項及び応急措置法一〇条二項に言う本人の自白には、公判廷における自白を含むのか否かが問題となつた。もつとも実務上、此の問題は刑訴三一九条二項によつて一応の解決に達したように見えるが、それで全部の問題が解決したわけではない。依然として憲法上の解釈の問題が残つているのであつて、その解釈の如何によつては刑訴三一九条二項違反が上告理由（刑訴四〇五参照）となるか否かが決るのであり、又立法論としても英米法のアレーンメント類似の制度を採用することが憲法上可能であるか否かに大きな影響を持つてくるのであるから、今なお重大問題であることには変りはない。

（二）判例の立場　此の問題については判例は、最高裁判所の発足以来、現在に到る迄も、終始変るところなく、憲法上、補強証拠を必要とするのは、公判廷外の自白のみであつて、公判廷の自白については、それのみを唯一の証拠として有罪判決を言渡したとしても、憲法違反にはならないものとしている。もつともその間に裁判毎に理由とするところに多少の変化が見られ、又小数意見は漸次公判廷の自白と公判廷外の自白とを区別しない立場を強化しつつあるけれども、未だ判例を動かす程には到つていないのである。此の問題に関して最初に出された判決要旨を左に示すと、

【1】「刑訴応急措置法第十条第三項の規定は公判廷外の自白が被告人の不利益な唯一の証拠である場合にこれにより有罪とされ又は刑罰を科せられないという趣旨であつて公判廷の自白を包含しないと解すべきである。けだし被告人が公判廷外で自白した場合にその自白が被告人の不利益な唯一の証拠であつて他に何等その自白を補強すべき証拠のないに拘はらずその自白のみにより有罪とせられることは被告人にとつて甚だ危険であると云わなければならない従つて公判廷外の自白を有罪の証拠として採用するにはこれを補強すべき他の証拠を必要とする法則を確立することが基本的人権の擁護の上から極めて緊要なことであつて日本国憲法第三十八条第三項及び前記応急措置に関する法律第十条第三項の規定は此の趣旨を宣示しておるものであるこれに反し公判廷においては被告人は身体の拘束を受けることなく又陳述する義務もないのであるから自己に不利益な供述を強制されることなく全く自由に供述し得る立場に置かれておるのである従つて公判廷で被告人が自白した場合は自白の外に補強証拠を必要とする法則の適用がないと解しても毫も基本的人権の擁護に欠くるところはないのである」（最判昭二三・七・二九刑集二・一〇一二）。

此の判例は一口に言えば公判廷では被告人は全く自由であるから公判廷の自白には補強証拠を必要としないと言うのである。しかしたとえ公判廷における被告人の自白を、判例の言う通り承認し得たとしても、公判廷の自白と補強証拠の要否が如何に結びついて、公判廷の自白と公判廷外の自白との

質的区別に到るのか、その間の事情は全く明にされていない。恐らくは、従来の大陸法系の自由心証主義になれた裁判官が、新しい英米法系の証拠法の前に全くとまどつたのでもあろう。果して、此の判例は学界にごうごうたる論議の渦を巻き起した（団藤・平野・判研一巻三六頁、団藤・判タ一輯一〇頁、刑評七巻一八三頁、小野清一郎・刑評七巻一八九頁）。

次いで出された最判昭和二三年二月七日（刑集二・三七）も全く右と同旨であり、更に第三番目の最判昭和二三年二月一二日（刑集二・八〇）も判旨は先の両者と同様であるが理由としてはそれをふえんして次のように言つている。

【2】「これらの規定（憲法三八Ⅲ、刑訴応急措置法一〇Ⅲ……筆者）の趣旨は、一般に自白が往々にして、強制、拷問、脅迫又はその他有形無形の不当な干渉乃至影響により、恐怖と不安の下に、本人の真意と自由意思に反してなされる場合のあることを考慮した結果、被告人に不利益な証拠が本人の自白である場合には、他に適当なこれを裏書する証拠を必要とするものとし、若し自白が被告人に不利益な唯一の証拠である場合には、有罪の認定を受けないとしたものである。それは罪ある者が時に処罰を免れることがあつても、罪なき者が時に処罰を受けるよりは、社会のためによいという根本思想に基くものである。かくて真に罪なき者が処罰せられる危険を排除し、自白偏重と自白強要の弊を防止し、基本的人権の保護を期せんとしたものである。

しかるにこれに反し、公判廷における被告人の自白は、身体の拘束を受けず、何等の強制、拷問、脅迫又はその他有形無形の不当な干渉乃至影響を受けず、全く自由の状態において供述されるものである。しかも憲法第三十八条第一項によれば『何人も、自己に不利益な供述を強要されない』ことになつている。それ故公判廷において、被告人は、自己の真意に反してまで軽々しく自白し、真実にあらざる自己に不利益な供述をするようなことはないと見るのが相当であろう。又新憲法の下においては、被告人はいつでも弁護士を附け得られる建前になつているから、若し被告人が虚偽の自白をしたと認められる場合には、弁護士は直ちに再訊問の方法によつて、これを訂正せしめることもできるであろう。従つて公判廷における被告人の自白が裁判官の自由心証によつて真実に合するものと認められる場合には、公判廷外における被告人の自白とは異り、更に他の裏書証拠を要せずして犯罪事実の認定ができる、と解するのが相当である……。

さらに価値論の観点から考えてみよう。㈠強制、拷問、若しくは脅迫による自白又は不当に長く抑留若しくは拘禁された後の自白は証拠能力を有しない（憲法第三十八条第二項）。かかる種類の自白は、憲法上全く信用力なく全面的に証拠価値を否定せられておるから、これを証拠として断罪科刑することはできない。その他の自白は、公判廷におけるものも又公判廷外におけるものも、等しく証拠能力を有する。㈡しかし、公判廷における自白は、前述の理由によつて証拠価値が比較的多いから、その自白が被告人に不利益な唯一の証拠である場合においてもこれを証拠として断罪科刑することができていい訳である。㈢これに反し、公判廷外における自白は、前述の理由によつて証拠価値が比較的少いから、その自白の外に適当なこれを裏付けする裏書証拠が必要となる訳である。されば と言つて、公判廷における被告人の自白があつたとしても、安直に直ちにこれを証拠として断罪し去ることは、早計であり固より許さるべきことではない。」（最判昭二三・二・一二刑集二・二・八〇）（団藤・平野・判研二巻一号四八頁、団藤・判タ二輯二一頁、刑評八巻五五頁）（なおこの判決に対して、斎藤裁判官は補足意見として「およそ証拠は訴訟当事者の主張、答弁に争のある場合にその必要を見るもので換言すれば、その争のある場合に必要な主張又は答弁の裏付けを成す資料に外ならない。従つて右条項（憲三八Ⅲ、応急措置法一〇Ⅲ）は訴訟当事者たる検察官と被告人との主張、答弁に争のある場合を前提と」するもので公判廷の自白はこの前提を欠くものであるから、右条項の適用を見ず、裁判官の自由心証によつて事を決すれば足りるとなす。）

以上三つの判例は何れも小法廷の判決であるが次の大法廷判決も従来の立場を依然固持してはいる。しかし、ここに到つて五人の裁判官（塚崎、沢田、井上、栗山、小谷の五裁判官）の反対意見が出された事は注目に値する。多数意見は大体さきの三つの小法廷の意見を踏襲しているのではあるが、唯次の点は前三者に比し特異性を有する。

【3】「……なお公判廷の自白は、裁判所の直接審理に基くものである。従つて裁判所の面前でなされる自白は、被告人の発言、挙動、顔色、態度竝にこれらの変化等からも、その真実に合するか、否か、又、自発的な任意のものであるか、否かは、多くの場合において、裁判所が他の証拠を待つまでもなく、自ら判断し得る

ものと言わなければならない。又、公判廷外の自白は、それ自身既に完結している自白であつて、果していかなる状態において、いかなる事情の下に、いかなる動機から、いかにして供述が形成されたかの経路は全く不明であるが、公判廷の自白は、裁判所の面前で親しくつぎつぎに供述が展開されてゆくものであるから、現行法の下では裁判所はその心証が得られる迄、種々の面と観点からは被告人を根掘り葉掘り十分訊問することもできるのである。そして若し裁判所が心証を得なければ自白は固より証拠価値がなく、裁判所が心証を得たときに初めて自白は証拠として役立つのである。……

往昔の裁判には、断罪に被告人の自白を必要条件とし、自白がなければ、処罰ができなかつた時代がある。かかる制度の下においては、必然的に被告人の自白を強要するために拷問が行われるに至ることは当然であり、今日なお諸国に残存する多種多様の拷問器が如実にこれを実証している。この弊害を救うために、（イ）所罰には必ずしも自白を必要条件としなくなり、（ロ）被告人には自白を強要せられない沈黙の特権が認められ（憲法第三十八条一項）、（ハ）拷問等による自白には、証拠能力が認められなくなり（同条第二項）、かくて裁判手続の上に拷問等が漸次排除せられていつたのである。されば、同条第三項の解釈として、拷問等によらざることが明白である公判廷の自白に、一般的、抽象的により多くの証拠価値を認め独立証拠性を認めると共に、拷問等によつたか否かが不明である公判廷外の自白に、一般的、抽象的により少き証拠価値を認め補強証拠を要するものと解することは、毫も拷問と自白の歴史に背反するところはなく、現行法制の下においては極めて合理的な妥当な解釈であると言わなければならない。又、或る時代においては、証人の供述も半証拠（ハーフ・プルーフ）の価値しかなく、二人の証人の供述が合致して初めて独立証拠価値を有した。米国憲法第三条第三項に、「何人も同一の犯行に対する二人の証人の証言又は公開の法廷における自白がなければ、叛逆罪によつて処罰をうけることがない」とあるのもこの流れを汲むもので、米国の叛逆罪においては証人一人の供述は半証拠の価値しかないが、被告人の公判廷における自白は、それだけで独立証拠の価値を認められている。或は、『罪がない者でも色々複雑な原因から任意に自己に不利益な供述をすることがある』から、自白が唯一の証拠である場合には処罰できないという者があるが、これは誤りである。この論法をもつてすれば『証人でも色々複雑な原因から任意に(故意に)被告人に不利益な供述をすることがある』から、証人の供述が唯一の証拠である場合にも処罰できないという結論とならなければならない。しかし、わが憲法は明らかに証人の供述は唯一の証拠であつても独立証拠の価値を認め断罪し得るものとしている。これに対し、憲法第三十八条第三項においては、被告人の自白が唯一の証拠である場合には処罰できないものとしている。それ故、同項の意義は証人の供述と被告人の自白の価値を何故に区別しているかの理由を深く究めることによつてのみ真に理解され得る関係にある。そしてこの区別は、畢竟被告人の自白には拷問等の加わるおそれが濃厚であるに反し、証人の供述にはかかるおそれが濃厚でないという一点に要約することができる。されば拷問等の加わらない公判廷の自白に一証人の供述と同様に独立証拠性を認めることは、現行法制の下においては、理の当然であると言うことができよう。証人の供述にも、被告人の自白にも同時に内在し得る不安(例えば色々の複雑な原因から任意に不利益な供述をすること)が、被告人の自白に内在することを理由として被告人の自白に独立証拠性を否定せんとするのは、証人の供述に独立証拠性を認めているわが憲法の下においては、他に特別の立法なき限り、到底是認することができない。それ故、被告人の自白に独立証拠性を否定し、補強証拠を必要とする場合は拷問等の加わつたか否かが不明である場合、すなわち公判廷外の自白に限られるのである」(最判昭二三・七・二九刑集二・九・一〇一二)(団藤・刑評九巻二四七頁、覚道・阪法二号一〇二頁)。

この判例には齋藤裁判官の先のものと同様の補足意見が附せられている他、右にのべたように五人の裁判官の反対意見がのべられている。もつともその論拠とするところには各人毎に多少の差異が認められるが、要するに公判廷の自白といえども常に必ずしも真実に合するとは限らず、裁判所の自由心証も常に万全を期することは保し難いのであるから、万一の誤判を避けるために公判廷の自白の証明力にも担保が必要であるというのである。この判決においてこのように五人の裁判官の反対意見が出された事は、逆説ながら、この裁判が現行刑事訴訟法が国会を通過して、公判廷の自白と公判廷外の自白とを区別しない立場を明言した直後に言渡されたものであることと関係があるのではなかろうか。

その後も最高裁判所は最判昭和二四年四月二〇日（刑集三・五・五八一）（但し穂積裁判官が反対意見に加わった）及び最判昭和二七年六月二五日（刑集六・六・八〇八）（但し本件においては反対意見は沢田、井上、栗山、小谷、谷村、小林、本村の七裁判官に達した）においても従前の立場を改めることなく、現在に到っているのである。

こう言った判例の立場に対しては当然のこと乍ら、学界の一部から猛烈な反論が展開された。その代表的な団藤教授の見解は、(1)公判廷の自白も常に必ずしも任意であるとは限らない。公判廷における被告人が身体の拘束をうけないことは、憲法そのものの保証するところでもなく、公判廷における被告人の心理状態も完全に自由であるとは限らない。しかもたとえ判例の言うように完全に任意性が認められたとしても、自白の任意性の問題は、証拠能力の有無に関係するもので、補強証拠の問題は証拠の証明力の問題であり、完全な任意性ある自白を前提として始めて考えられるところである。公判廷の自白は、自由に任意になされたものであるから、補強証拠を必要としないとする判例の主張は、それを徹底すると公判廷外の自白でも任意性が証明されれば補強証拠が要らないということになるのではないか。(2)公判廷では弁護人が虚偽の自白を訂正することができるから、自白の真実性が担保されているというのも理由がない。けだし、現行法上、公判廷に常に弁護人が在廷するとは限らない以上、此の理由からは、公判廷の自白を更に、弁護人が在廷したときの自白と、在廷しなかつたときの自白に区別しなければならなくなるからである。(3)態度証拠から、自白の真実性を吟味できるということは、ある程度認められるとしても、それが自白の補強証拠の要否を左右すると考えるのは余りにも勇敢にすぎる。(4)被告人を根掘り葉掘り訊問するというような糾問主義的な考え方は憲法の予想する当事者主義的訴訟形態とは調和しない。現行法上被告人を根掘り葉掘り訊問することは許されないのである。以上が団藤教授の判例に対する批判である。なお教授はそれにつけ加えて、判例の見解はおそらく英米法のアレーンメントの制度からの影響をうけていると思われるが、わが国には従来もアレーンメントの制度はなかつたし、憲法にもこれを認めた形跡はない。従つてわが憲法の解釈として英米法の建前をそのまま持ち込む事は許されない。なお且つ自白を以て被告人の処分行為と解するのは刑事訴訟の特質を誤るも甚だしいものがあるとして、公判廷の自白にもなお補強証拠を必要とすると説かれるのである（団藤・「自白と補強証拠」刑法雑誌一巻三・四号八五頁以下）。

これに対して、以上二つの意見は何れも憲法解釈の方法に誤りがあるとする主張がある。すなわち判例はその結論を引き出す根拠として、公判廷の事情をのべ、かかる事情の下における自白は証拠価値が多いからそれのみで有罪となしうるとしているのに対し、団藤教授は公判廷の事情は必ずしもそうでなく、従つてかく解することは不都合であるとなし両者いずれも刑事訴訟法に定める公判廷の事情をその立論の根拠としている。これは明に法律の解釈と憲法の解釈とを混同するものである。成程憲法三八条三項と応急措置法一〇条三項は同文の規定ではあるが、これは単に後者が前者と同じことを繰り返えしているのではなく、両者は別個の権利を規定しているのである。前者は憲法上の権利を、後者は刑訴法上の権利を規定しているのである。従つて両者の解釈は同時になさるべきものではなく、前者の意味が明にされて後、後者の意味がそれから引き出されるべきである。上位法たる憲法の解釈は、下位法たる法律の解釈に拘束されるべきでなく、憲法上の他の条項との関係においてその全体の精神に基いて把握されねばならぬというのである（覚道・阪法二号一〇二頁以下）。此の批判は正しい。そして此の批判は、判例や団藤教授の見解に対して妥当するだけでなく、小野博士が【1】に対する評釈として刑事訴訟の心証形成の職権主義的性格を強調された後「公判廷における自白までも補強証拠がなければこれを信用してはならないというに至つては、実質的に殆ど自由心証主義を無視するにひとしいのであつて、到底わが刑事訴訟法の職権主義的原理と相容れないようにおもわれる」（小野清一郎・刑評七巻一八七—一八八頁）とのべて居られるのにも当てはまる。公判廷の事情や、自由心証主義は、下位法たる刑事訴訟法上の要求に基くものであつて、それを以て憲法解釈の手段となす事はできない。憲法三八条三項の解釈は憲法全体の精神に基いて何故憲法は自白に補強証拠を必要とするかという点から目的論的に解釈してゆかねばならないのである。（註二）

（註一）　なお学界の一部には有力な学説として、憲法三八条三項の母法たる米法において、公判廷の自白には補強証拠を要しないとの原則が確立されている事を理由にして、憲法三八条三項の「本人の自白」の中には公判廷の自白を含まないとする主張があり（田中・証拠法二二五頁、江家・刑事証拠法の基礎理論二七頁）。又自白に補強証拠を必要とする理由は、自白偏重の防止にあり、公判廷の自白にはそのおそれがないから、「本人の自白」に含まれないとする見解もある。（井上・刑訴原論二〇七頁）。

（三）憲法上何故自白に補強証拠を必要とするのか　この点については結局は人権擁護に落ち着くであろうが、更にくだけば、自白強要の傾向を防止するためであるとなす見解と誤判の可能性を防止するためであるとする見解とを考えることができる（横川・刑事裁判の研究九七頁）。第一説は、自白だけで有罪の認定ができるとすると、捜査官憲は自白を重視し、裏づけ捜査の努力を欠き、被疑者又は被告人に自白を強要する結果となつて人権蹂躪のおそれがある。「自白だけでは有罪とされない」ということになると、自白偏重の傾向はなくなり、自白の強要は防止され、人権擁護の全きを期し得るのである。確に自白の強要を防止するためには、憲法上、第一次的に憲法三八条一項・二項が存在するのではあるけれども、「自白だけでは有罪とされない」旨の規定があつてはじめてこの効果の完全が期待できるとなす。第二説は、米法において特に補強証拠が罪体に関して要求されている事から影響を受けて、自白だけで有罪の認定をすると架空の犯罪が認定されるおそれがあり、誤判に到る可能性があるとなすものである。そしてその理由として刑事被告人特有の不安定な心理状態等をあげて、任意の自白であつても、なお虚偽の自白である場合の多い事等を力説する。此の二説は成程一応は分けて考える事ができるものではあるが、実質的には相互に関連し合うもので、自白の強要防止は、結局誤判の可能性の排除にも通じ、誤判の可能性を排除しようとすれば、先ず第一に自白の強要を防止すべき性質のものであるから、何れか一方の観点だけを強調することはできない。結局はどちらにより重点をおくかということになるのであるが、先にあげた判例には此の重点の変遷が観取できる。

判例は、先の【1】【2】においては、第二説に重点をおいた。すなわち【1】においては「被告人が公判廷外で自白した場合に、その自白が被告人に不利益な唯一の証拠であつて、他に何等その自白を補強すべき証拠のないに拘わず、その自白のみにより有罪とせられることは、被告人にとつて甚だ危険である」と言い、【2】においては「……被告人に不利益な証拠が本人の自白である場合には、他に適当なこれを裏書する証拠を必要とするものとし、若し自白が被告に不利益な唯一の証拠である場合には、有罪の認定を受けないとしたものである。それは罪ある者が時に処罰を免れることがあつても、罪なき者が時に処罰をうけるよりは、社会のためによいという根本思想に基くものである。かくて真に罪なき者が処罰せられる危険を排除」するものとなすのである。明らかに自白のみに頼ることは、誤判の可能性が強いから、被告人の人権保護のため補強証拠が必要であると説くものである。判例がこの見地を推しすすめて、憲法三八条三項を目的論的に理解するならば、補強証拠の要否について、公判廷の自白と公判廷外の自白との間には、何等質的な差異が存在しないことに気がつく筈であつた。それを、英米法が裁判上の自白と裁判外の自白に区別を設けて、前者には補強証拠を必要としていないのを無批判に受け入れて、両者を敢て区別する旨を判示したのは誤りである。ともあれ、自白に補強証拠を必要とする理由については、判例は、最初は第二説を重んじていたのである。ところが【3】の判例においては事情は一変して、むしろ第一説に重点をおくに到つた。すなわち、「……或は『罪がない者でも色々複雑な原因から、任意に自己に不利益な供述をすることがある』から、自白が唯一の証拠である場合には処罰できないという者があるが、これは誤りである。この論法をもつてすれば、『証人でも色々複雑な原因から任意に（故意に）被告人に不利益な供述をすることがある』から、証人の供述が唯一の証拠である場合にも処罰できないという結論とならなければならない。しかしわが憲法は明らかに証人の供述は唯一の証拠であつても、独立証拠の価値を認め断罪し得るものとしている。これに対し憲法三八条三項においては、被告人の自白が唯一の証拠である場合には処罰できないものとしている。それ故、同項の意義は証人の供述と被告人の自白の価値を何故に区別しているかの理由を深く究めることによつてのみ真に理解され得る関係にある。そして、この区別は、畢竟被告人の自白には拷問等の加わるおそれが濃厚であるに反し、証人の供述にはかかるおそれが濃厚でないという一点に要約することができる。されば拷問等の加わらない公判廷の自白に一証人の供述と同様に独立証拠性を認めることは、現行法制の下においては理の当然であると言うことができよう。」すなわち、被告人の任意の自白は、その証明力において証人の供述に劣るものではなく、むしろそれより大であると考えられるに拘わらず、任意の自白について補強証拠を必要とするのは何故か。証明力が証人の供述に優るとも劣るものでないならば、誤判の可能性は存在しないのではないか。証人の供述に独立証拠性があり、被告人の自白にそれがないのは、被告人の自白には強要される可能性があり証人の供述にはそのおそれがないという一点に求めなければならない。従つて拷問等のおそれの全くない公判廷の自白はそれのみで独立証拠としての価値があるというのである。確に被告人は犯罪の有無に関しては直接の体験者であり、ありのままを記憶し且つ任意に真実を語るならば、これほど証明力に富んだ証拠方法はないであろう、又英米法において考えられて居るように、自己に不利益な供述を自ら進んでなすという異常性は、自白を信頼すべきものとする情況的保障であるかもしれない。その故にこそ、「自白は証拠の王」とまでされたのであつた。しかし此の事実は反面、判断者の心証形成過程において、自白に対する過信を強制する結果にも通ずる。証拠の証明力を証拠自体の客観的真実に合する蓋然性と考えれば、確に判例に言うように、自白は証人の供述と類似的であり、大差のないものであろう。しかし証拠の証明力を、判断者をして、客観的事実を推測せしめる力と考えるなら、すなわち裁判官の心証形成への影響力として考えるなら、証人の供述と自白の間には、大きな相違のある事が観取できる。被告人の不安定な心理状態からなされる虚偽の自白は、巷間伝えられる程多くはないとしても、自白に対する過重評価のおそれは常につきまとつている。その故にこそ捜査過程における自白強要の弊も誘致する傾きがでてくるのである。憲法三八条が、その二項において、強制の疑いのある自白の証拠能力を奪い、その三項において自白だけでは有罪とされない旨を規定するのは、かかる自白偏重の傾向を前提としなければ理解できない。従って、自白に補強証拠を必要とする理由は、自白の強要防止、或は自白の任意性の万一の誤判を救済する（江家・刑事証拠法の基礎理論四四頁、井上・原論二〇六頁）ためのみならず、自白の異常性から生ずる自白偏重の傾向への防波堤たらしめるためであり、しかも此の点がむしろ重要なのである。判例の言うように、証人の供述と被告人の自白の価値を何故に区別しているかの理由は、単に拷問等の強制の可能性の有無だけにあるのではなくて、裁判官の心証形成への影響力に大きな差のある事を忘れてはならない。又かように考える事が、補強証拠の規則が英米において、裁判官の陪審に対する説示の集積として成立した伝統に合するし、旧刑訴法において、区裁判所の管轄に属する事件以外は自白があっても他の証拠を取り調べなければならないとしていた実務と連続性を維持することができる（平場・「判例の補強証拠理論」法律時報二七巻六号五六頁）。

かようにして我々は、公判廷の自白と、公判廷外の自白を区別する判例の立場を実質的差異に則した考え方と認めることはできないのである。

（四）　判例の立場において刑訴三一九条二項は如何に解すべきか　右に見た如く、最高裁の判例は、終始一貫して、憲法三八条三項に言う「本人の自白」には公判廷の自白を含まないと主張して来た。しかし、現行刑訴法はその三一九条二項において、公判廷の自白と公判廷外の自白との間に区別を設けず、「被告人は公判廷における自白であると否とを問わず、その自白が自己に不利益な唯一の証拠である場合には有罪とされない」と規定した。此の両者の間には、何か自白に関する考え方の根本的な相違を感ぜしめるものがあり、最高裁が前記の主張を貫く限り、好むと好まざるとにかかわらず、両者の調和を如何にして見出すかという問題に直面しなければならなかつたのである。次の判例は旧刑訴の事件であり、現行法の適用さるべきものではなく、又憲法三八条三項と刑訴三一九条二項が正面から具体的論点として取り上げられたものではないけれども、上告趣意の一部にそれがあり、又最高裁も一度は対決しなければならない問題として、傍論とは言え、その見解を明にしたものであるから、判旨を左に引用する。

【4】（上告趣意）「……新刑訴が公判廷における自白であつても、それだけで有罪とされないことを明にしていても、最高裁判所の憲法解釈が憲法条項の本人の自白の中に公判廷における被告人の自白を含まないものとする以上、その解釈の変更されない限り新刑訴の規定は憲法違反の法律として空文に終ることとなるが、国民は果してこれを是認すべきであろうか。」

（判旨）「……当裁判所の解釈するところによれば憲法第三八条第三項は判決裁判所の公判廷外の自白につい て規定したものであり、前記新刑訴の規定はさらに憲法の趣旨を一歩前進せしめて前記公判廷外の自白の外に公判廷の自白についても補強証拠を要する旨を規定したものであつて、その間何等抵触するところはない。それ故当裁判所の見解を是認しても前記新刑訴法の規定を憲法に違反するものと言うことはできない」（最判昭二四・六・二九大法廷刑集三・七・一一五〇）（大谷・刑法雑誌一巻二号二〇九頁、城・刑評一一巻二九九頁）（勿論、最高裁の多数意見が、公判廷の自白には補強証拠を要しないとするのに反対している。塚崎、沢田、井上、栗山、小谷、穂積の六裁判官は、当然この判決にも反対している。）

此の判決は当然に次の判決に受けつがれて、最高裁判所のこの問題に関する見解は確定した。

【5】「それは（刑訴三一九条二項…筆者註）自白偏重の弊害を是正し、被告人の基本的人権を保障擁護しようとする憲法の根本精神をさらに拡充し動的に一歩前進せしめて、当事者対等主義を指導原理とする新刑事訴訟法において法律の規定をもつて従来の憲法上の自白の証拠能力の制限を判決裁判所の公判廷における自白にまで及ぼすに至つたものと解するを相当とする。これは恰かも憲法三八条二項においては、「強制、拷問若しくは脅迫による自白又は不当に長く抑留された後の自白は、これを証拠とすることができない」と定めているに対し、新刑訴三一

九条一項においては「強制、拷問又は脅迫による自白、不当に長く抑留又は拘禁された後の自白その他任意にされたものでない疑のある自白は、これを証拠とすることができない」と規定し、従来の憲法上の自白の証拠能力の制限を「その他任意にされたものでない疑のある自白」にまで拡張するに至つたのと全く同巧異曲である。されば憲法三八条三項の合理的解釈として当裁判所が示した前記判例の見解は、新刑訴三一九条二項の規定と毛頭矛盾するところはなく、両者は時を同じうして共に併存し得るわけのものである」（最判昭二四・一〇・一三刑集三・一〇・一六五〇）（覚道・阪法二号一〇二頁）。

これらの判旨は、最高裁判所としては、けだし当然であろう。ただ「新刑訴の規定はさらに憲法の趣旨を一歩前進せしめ」たものとか、「憲法の根本精神をさらに拡充し動的に一歩前進せしめ」たものと言うのは、法的に不正確な表現だと言われても仕方がない。というのは、判例の立場からは、憲法三八条三項は公判廷の自白については、何等規定していないということになるのであるから、それを下位法の刑訴法が如何ように規定しようとも、憲法の全く関知しないところであるからである。判旨の示すところは、自白は元来、証明力に担保がなくそれのみで有罪の認定をすることは危険ではあるが、憲法は公判廷外の自白についてのみ、補強証拠の保障を置いたのであり、新刑訴の規定は、その保障を更に公判廷の自白にまで及ぼしたものと解しているのであろうが、公判廷の自白でも、それだけで有罪とすることの危険性を認識しているのならば、憲法三八条三項の文言を素直に解して、公判廷の自白と公判廷外の自白とを区別しない立場を採るべきであつた。事実、現行刑訴法の立案当時最高裁判所の判例に対して反省を促す声が強く、刑訴三一九条二項に「公判廷における自白であると否とを問わず」との文言を敢て用いたのは、立法者のかかる要求の現れでもあり、現行刑訴法の施行を契機として、最高裁判所が社会事情の変化を理由に、従来の立場を一擲することが望まれたのであつた。

（五）判例の立場において「公判廷の自白」とは当判決裁判所の公判廷の自白のみを指すのか、又は他の公判廷例えば前審の公判廷における自白をも意味するのか　最高裁判所は「公判廷の自白」は憲法三八条三項にいう「本人の自白」の中には含まれないとの態度を一貫しつづけて来たことは右に見た通りである。今此の立場を是認するとして、「公判廷の自白」とは何を言うかという限界の問題を考えなければならない。最高裁の判例に表われたところは、控訴審の立場において第一審公判廷における自白が、補強証拠を要しない所謂「公判廷の自白」に当るか否かの問題に限られているが、公開停止中の自白、弁護人のいないときの自白、勾留訊問による自白等々についても考うべき問題がある筈である。

【6】「日本国憲法の施行に伴う刑事訴訟法の応急的措置に関する法律第十条第三項の規定にいわゆる自白の中には公判廷における自白を包含しないものと解すべきである（昭和二十二年十一月二十一日言渡最高裁判所同年（れ）第一〇七号事件判決参照）。ところで、所論の第一審第二回公判調書記載中の被告人の供述は公判廷における自白に外ならないので、原判決が判示共謀の点を認定するにつき、この自白を採つて以つて唯一の資料に供したとしても、毫も右の規定に違反しないものと言わなくてはならない。」（最判昭二三・二・七 刑集二・二・三七）（平野・刑評八巻三〇頁、団藤・判研二巻一号三三頁）。

此の判決は、判決中に引用参照されている。先の【1】の判決に基いて、言渡されたものである事は明である。【1】においては、公判廷の自白を憲法三八条三項の「本人の自白」から除外する根拠を、公判廷における自白は、それが定型的に任意であつて、「公判廷においては被告人は身体の拘束を受けることなく、又陳述する義務もないのであるから、自己に不利益な供述を強制されることなく全く自由に供述し得る立場に置かれておるのである」からだとされた。従つて公判廷で被告人が自白した場合は自白の外に補強証拠を必要とする法則が適用されなくても、いささかも人権擁護に欠くるところはないのだと解されたのである。このような見解に基く限り、たとえ前審公判廷における自白であつても、定型的任意性が保障され、不利益な供述を強制されるおそれがないかぎり、これを唯一の証拠として有罪の認定をすることは、少しも差支えがない筈である。従つて判旨は【1】を基礎とする限り当然の結論である(井上・原論二〇七頁、田中・証拠法二二六頁はこの判旨に賛成)。しかし最高裁の判例が「公判廷の自白」と「公判廷外の自白」とに区別する根拠を【1】の定型的任意性から【3】においては直接審理の要求がその上に採り入れられたのに従つて、当然に「公判廷の自白」の限界も変化しなければならなかつた。【3】の大法廷判決が言渡されて後の此の問題に関する諸判決は全て、前審公判廷における自白は、憲法三八条三項、刑訴応急措置法一〇条三項に言う「本人の自白」に当るものとして、補強証拠が必要であるとしている。すなわち

【7】「惟うに、憲法第三八条第三項(刑訴応急措置法第一〇条第三項も同様)の自白の内には、公判廷における被告人の自白は之を含まないと解すべきことは、当裁判所の判例とするところである(昭和二三年(れ)第一六八号同年七月二九日大法廷判決)。而して前記判例はその一つの理由として『なお、公判廷の自白は裁判所の直接審理に基くものである。従つて、裁判所の面前でなされる自白は、被告人の発言、挙動、顔色、態度並にこれらの変化からも、その真実に合するか、否か、又、自発的な任意のものであるか、否かは、多くの場合において裁判所が他の証拠を待つものでなく、自ら判断し得るものと言わなければならない。又、公判廷外の自白は、それ自身既に完結している自白であつて、果していかなる状態において、いかなる事情の下に、いかなる動機から、いかにして供述が形成されたかの経路は全く不明であるが、公判廷の自白は、裁判所の面前で親しくつぎつぎに供述が展開されて行くものであるから、現行法の下では、裁判所はその心証が得られるまで種々の

面と観点から被告人を根掘り葉掘り十分訊問することもできるのである。そして、若し裁判所が心証を得なければ自白は固より証拠価値がなく、裁判所が心証を得たときに初めて自白は証拠として役立つのである。従つて、公判廷における被告人の自白が、裁判所の自由心証によつて真実に合するものと認められる場合には、公判廷外における被告人の自白とは異り、更に他の補強証拠を要せずして、犯罪事実の認定ができると解するのが相当である』と判示していることから容易に判断し得る如く、右判例に示す『公判廷における被告人の自白』とはその自白を断罪の証拠に採つた、その裁判所の公判廷における被告人の自白を指すのであつて、従つて右裁判所以外の裁判所の公判廷における被告人の自白は仮令それが第一審裁判所のものであつても之を包含せしむる趣旨ではない。左れば、所論の第一審における被告人の自白のみを採つて断罪の証拠にした原判決は、正に所論の如く憲法第三八条第三項（及び刑訴応急措置法第一〇条第三項）違反の判決であつて、此の点に関する論旨は理由あり」（最判昭二四・四・六刑集三・四・四四五）（平野・判研三巻二号八八頁、平野・刑評一一巻一四九頁）（この判決には斎藤裁判官は反対であり、被告人の自白にして訴訟関係人に異議なく、裁判所も亦これを被告人の真意に出で且つ真実に合致するものと認め得るときは、検察官の主張事実は裁判上顕著な事実となつて、証明を要しないとする。又この判決には塚崎、沢田、井上、栗山、小谷の五裁判官の理由に対する反対意見があるが、その各反対意見は当判決引用の〔3〕の判決に対して各裁判官が所述したところを引用する。）。

この大法廷判決によつて、当問題に関する最高裁判所の判例は確立されたと言うべく、前述【6】の判例は変更されたのである。従つて、その後の判決は全て此の線に副つて言渡されている。

【8】　結局判示の昭和二三年六月二三日の犯罪行為を認定する証拠は被告人の第一審公判廷の供述（自白）のみに帰着することとなる。従つてこの点において原判決は刑訴応急措置法第一〇条第三項に違反したものであると主張する論旨は理由がある。（昭和二三年（れ）第四五四号同二四年四月六日大法廷判決（すなわち【7】筆者註）参照）。（最判昭二五・五・二刑集四・五・七四七）。

同様の趣旨から次のような判決がなされている。

【9】　被告人の第一審公判調書中の供述記載（自白）と司法警察官訊問調書中の供述記載（自白）とを証拠

として有罪の認定をすることの可否。

「原判決は、判示第一の事実を認定するに当り、㈠第一審公判調書中の被告人の供述記載と㈡被告人に対する司法警察官の尋問調書中の供述記載を証拠として採っている。当該判決裁判所の公判廷における被告人の自白は、憲法三八条三項にいわゆる「本人の自白」に含まれないことは判例の示すとおりである（昭和二三年(れ)一六八号、同年七月二九日大法廷、判例集二巻九号一〇一四頁）（すなわち【3】筆者註）。しかしながら、第一審の公判廷における被告人の供述は、これと異り前記「本人の自白」に含まれるから、独立して完全な証拠能力を有しないので、有罪を認定するには他の補強証拠を必要とするのである。しかるに本件においてはこれと司法警察官に対する被告人の供述記載（これも補強証拠を要する）とによつて有罪を認定している。かように、互に補強証拠を要する同一被告人の供述を幾ら集めてみたところで所詮有罪を認定するわけにはいかない道理である。それ故に原判決には所論の違法があり、論旨には結局理由があつて破棄すべきである」（最判昭二五・七・一二刑集四・七・一二九八）（山崎・警研二三巻一〇号九〇頁、同・刑評一二巻一四四頁）（なおこの大法廷判決には斎藤裁判官の【3】に対すると同様の反対意見がある）。

二　共犯者又は共同被告人の自白

（一）はしがき　共犯者の供述が被告人に不利益な唯一の証拠である場合に、これによつて被告人を有罪とすることができるかという問題がある。英米の普通法では、この点について何等の法則も存在しないのではあるが、共犯者が自己の刑事責任の免除又は減刑を条件として、検察側の要求に応じたり、或は共犯者に責任を転嫁したりするために虚偽の供述をするおそれが多分にあり、従つて実務上裁判官は陪審に対して共犯者の供述は一般に信憑性が乏しい旨を説示することになつていた。ところがアメリカに於ては、此の実務上成立した慣行を成文法に高め、約半数の州においては、共犯者の供述の信憑性の薄弱を理由に、それには補強証拠が必要であると定めるに到つているのである（註二）。

(Wigmore, Treatise on Evidence, 3rd ed, 1940. VII. § 2056 § 2057) 此の米法理論に影響されて、我法の解釈としても、これに近い結論を得ようとして、憲法三八条三項にいわゆる「本人の自白」の中には共犯者の自白をも含むという見解がある。曰く「この規定の趣旨（憲法三八条三項を指す筆者註）は第一に自白の偏重からその強要の弊害を誘発することを防止すること、また第二に、自白を唯一の証拠とすることによる誤判のおそれを防止することにある。そのいずれの点から言つても、共犯者の自白を本人の自白から区別する実質的な理由はない。『本人』のなかには共犯者をも含むと解するのが妥当である。もし反対の解釈をとるときは、共犯者のうち甲が自白をし、乙が否認したばあいには、他に補強証拠がないかぎり、自白をした甲は無罪となり、否認した乙は有罪となるという不都合な結果を生じるであろう。[註三] もし同時犯のばあいであるならば、かような不都合を生じてもやむをえないとしなければならない。しかし共犯においては、なるべくその法律関係を合一的に解決するのが本質上当然である（現行法上にもこの趣旨の規定は数多くみられる）。右のように解することによつて、はじめてかような不公平を避けることができるであろう。」（団藤・「自白と補強証拠」刑法雑誌一巻三・四号九五頁以下、井上・原論二〇八頁も同旨。）此の理論の意図するところは充分理解できるけれども、いわゆる共犯者の自白を、無批判に自白の一般理論に組み入れようとする点で賛成できない。

そもそも自白という観念は、自白した者の犯罪行為について考えられることであつて、他人の行為についての自白というものはありえない筈のものである。従つて共犯者甲、乙の甲の自白には、甲自身に関する自白と乙に対する証言とが含まれているということになる。[註四] 共犯者の自白に補強証拠が必要であるかどうかの問題は、甲の供述によつて乙を有罪とするにつき補強証拠が必要であるかどうかの問題であり、結局、共犯者の証言の補強証拠要否の問題である。従つて自白のそれとは全く無関係である。両者は第一に歴史的沿革を異にし、第二に法の目的が異り、第三に補強証拠を要するとしても、その補強の性質が異る（藤岩・「自白」法律実務講座八巻一八二三頁、なお、Wigmore ibid. § 2056. § 2057. § 2059. 参照）。かかる全くの異質物が憲法の同一規定に、同一文言で、同時に規定されているという事は全く考えられないところであるから、右の理論にはにわかに賛成する事ができない（平野・刑事訴訟法七五頁参照）。むしろ憲法には共犯者の自白につき何等の規定もおいていないと見るのが正しいであろう。

しからば刑訴法の上においてはどうであろうか。刑訴法の上においても、共犯者の供述に補強証拠を必要とすべき法的根拠はない。したがつて、たとえ共犯者であつても証人として供述する限り、その証言を唯一の証拠として被告人を有罪とする事は一向差しつかえはない。しかしその証言が、証言として証拠能力を有するためには、被告人の反対尋問権が保障されていなければならないから、証人としての共犯者が、共同被告人として供述したのであれば、黙否権を有する関係上、被告人の反対尋問権は保障されず、証言としての証拠能力はないということになる。(註五) 勿論それ以上補強証拠要否の問題も起り得ない。従つてかかる場合は、弁論を分離し、被告人としての地位をはなれて証言しなければならない。要するに私は共犯者の一方の供述で他方を有罪とするについて、補強証拠を必要とするとは考えないのであるが、判例も大体その方向にむいていると思われる。

（註二）　ウイグモアーはかかる制定法の存在理由について、頗る懐疑的であり、又一九三七年の司法制度に関するニュー・ヨーク委員会（New York Commission on the Administration of Justice）は、補強されない共犯者の供述に基いては有罪判決を言渡し得ない旨を規定している刑事訴訟法三九九条を削除した。こういつた点からアメリカに於ても共犯者の証言に補強証拠を必要とするということについて、有力な反対説のある事を注意しなければならぬ（Wigmore, ibid. § 2057）。

（註三）　此の団藤教授の意見に対して、江家教授は「これを不都合な結果であると思うのは、甲の自白（正確にいえば乙の行為に関する証言）が、そのまま乙に不利益な証拠になると考えるからである。しかし実はそうではないのである。甲の自白は甲自身に対してはそのまま不利益な証拠になるが（刑訴三二二参照）乙に対してはその真実性を吟味させるため反対尋問の充分な機会を与えなければ、その不利益な証拠にはならないのである。それで甲についてはその自白と補強証拠があり、乙については甲の自白（証言）と反対尋問があることによつて、両者の均衡がとれていることになるのである。」（「共犯者の供述の証拠能力」法曹時報三巻九号二〇頁）と反ばくされているが、団藤教授が憲法上の問題を論ぜられているのに対し、江家教授が、刑訴法を引き合いに出された誤りはしばらくおくも、甲についての自白と補強証拠は証明力の問題であり、乙についての甲の証言と反対尋問は証拠能力の問題であるから、それによつて両者の均衡がとれている事になるであろうか。団藤教授の常識論は、共犯者の供述に補強証拠を必要とするとしない限り、どこまでもつきまとうであろう。しかし江家教授が更に「共犯者の自白のみによつて被告人を有罪としてはならないとするならば、たとえ甲の自白に補強証拠があつても、乙を有罪とすることができないのではなかろうか。何となれば甲の自白に対する補強証拠は、甲の犯行を裏づけるものであれば足りるのであつて、それは必ずしも、乙の犯行を裏づけることにはならないからである。」とされるのは正しい。米法においては自白の補強証拠は罪体に関して要求されるのに対し、共犯者の供述の補強証拠は(1)共犯者自身とは独立の証拠でなければならず（しかし共犯者の妻の供述も時には不充分とされた）。(2)供述した共犯者を被告人が関与した犯罪の共犯者である事を証明する証拠又は、その犯罪の関与者と被告人が同一人物であるという事を証明する証拠でなければならないのである（Wigmore, ibid. § 2059）。

（註四）　共犯者甲、乙が共同被告人の地位にある場合でも結論は異ならない。だいたい共同被告人の存在する場合は、一の訴訟手続に併合審理されているとしても、実は数個の事件が同一の裁判所に係属している関係にあり、訴訟法律関係は各被告人毎に成立するものであるから、乙より見れば、甲は訴訟の第三者と考えてよいわけである。

（註五）　或は刑訴三一一条三項によつて、被告人は共同被告人に対し公判廷において、充分審問できるから、反対尋問権が確保されているという見解があるが（栗本・新刑事証拠法改訂一三二頁・一三三頁。平野・「共同被告人の証人適格」判タ一巻六号一三頁、荒川・「共同被告人の自白は刑事訴訟法三一九条第二項の自白に含まれるか」判タ一巻六号二三頁）誤りである。蓋し、反対尋問権は、供述者が反対尋問に応ずべき法律上の義務のあることを前提とする。その義務のない者の応答は、単に事実上のものであつて、法律上の反対尋問に対する応答ではない（江家・前掲二八頁）。共同被告人は被告人としての地位において当然黙否権を行使することができるのであるから、反対尋問に応答すべき義務がないのは明である。

（二）判例の立場

【10】　「原判決は被告人に対する検事の聴取書の外、原審証人ABの各証言並に巡査CD両名共同作成の捜査復命書及び第一審の共同被告人EFに対する検事の聴取書を引用しこれ等各証拠と被告人に対する検事聴取書とを対照して判示事実を認定したものであることは原判決理由により明である。按ずるに検事に対する被告人の陳述と共同被告人の陳述とは、別個に取あつかわるべきものであつて、共同被告人の検事に対する陳述は被告人の裁判外の自白と同一視すべき性質のものでないから、共同被告人等に対する検事の聴取書並に前記各証言等を引用して判示事実を認定した原判決に対し、被告人の自白のみによつて事実を認定したという非難は当を得ないものである。」（最判昭二三・二・二七刑集二・二・一二七）（伊達・警研二〇巻一〇号四五頁、刑評八巻七四頁、団藤・平野・判研二巻一号六三頁）。

当事件は、その上告理由において、第一審の共同被告人EFに対する検事の聴取書以外の証拠価値を否定し、証拠として重要なのはこの共同被告人の供述録取書のみであるとし、かかる共同被告人の自白のみを採つて、犯罪を認定し処罰することは憲法が自白のみでは罰せられないとする精神にも反するとしている。判旨はこれに答える形で行われたのではあるが、共同被告人の自白と被告人の裁判外の自白とは同一視すべきものでないというだけで、その理由も、問題の所在も示されていない。

【11】「相被告人の自白をそれのみで証拠として採り得るか否かは暫くおくも本件の如く補強証拠の有る場合これを採り得ることは勿論である。」（最判昭二三・六・一 刑集二・七・六一八）（平出・刑評九巻三頁、団藤・高田・判研二巻四号三一頁）。

本判決の場合、「相被告人（本件の場合は共犯者である）の自白をそれのみで証拠として採り得るか否か」の問題は本件の具体的事案の解決に必要でないとして、故らに触れようとしていないが、ここにおいて共犯者、共同被告人の自白と補強証拠の問題が指摘されたのは注目すべきである。

【12】「第二審判決においては、被告人の同審供述の外相被告人の同審供述及びYの始末書と題する書面中の記載を証拠として事実を認定したものである。相被告人は、時に被告人と利害関係を異にし自己の利益を本位として供述する傾向があり、又相被告人は宣誓の上偽証の責任をもつて供述する立場にいながら（いないからの誤りであろう。…筆者）被告人の自白がないのに相被告人の供述のみを唯一の証拠として断罪することは大いに考えなければならない問題であるが」云々（最判昭二三・七・一九 刑集二・八・九五二）。

本判決においては最高裁判所は共同被告人（本件のばあいは必要的共犯である）の供述を唯一の証拠として被告人を有罪とする事には頗る懐疑的な論調を示している。しかしその懐疑的な態度をとる根拠に、相被告人が宣誓の上偽証の責任をもつて供述する立場にいない事を強調しながら、一番重大な被告人の相被告人に対する反対尋問権の保障のない事を無視したのは不当である。なお本判決には斎藤裁判官の少数意見が附されている。曰く、

「共同被告人は自己も亦被告人ではあるが、当該被告本人以外の第三者であるから、被告人に対する関係においては、共犯関係、刑事訴追その他法律上利害関係を有するため宣誓をしないで訊問される証人（刑訴（旧…筆者）第二〇一条第一八八条参照）とその法律上の性質を異にするものではない。それ故、その供述はかかる証人の供述と同じく被告人に対する証拠たるに毫も妨げないものである。」

この少数意見は、共犯者（共同被告人）の自白が、被告人に対する関係においては証言たるの性質を有するものである事を明にしている点では正当である。

【13】「原審判決が㈠被告人Ａに対する検事の聴取書中の同人の供述記載、㈡第一審における共同被告人Ｂに対する検事調書中の同人の供述記載、及び㈢原審における共同被告人Ｃの原審公判廷における供述を綜合証拠として、判示第二の事実を認定していることは所論の通りである。従つて被告人Ａに対する関係においては、被告人本人の公判廷外の自白の外は共同被告人の供述により、又被告人ＤＥに対する関係においては、すべて共同被告人の供述により、右事実を認定したことになるのであるが、共同被告人の供述は刑訴応急措置法第一〇条第三項にいわゆる「本人の自白」に該らないことは当裁判所の判例とするところであり（昭和二三年（れ）第四〇九号同年七月二二日第一小法廷判決）、また共同被告人の供述といへども、被告人本人の自白と相俟つて犯罪事実の全部を確認するに役立つ限り、同法条の「本人の自白」の補強証拠となり得ることも当裁判所の判例とするところであり（昭和二三年（れ）第一六七号同年七月一九日大法廷判決……【12】…筆者、及び昭和二二年（れ）第一八八号昭和二三年七月七日大法廷判決参照）、然も本件においては前記の各供述は互に相俟つて、各被告人等の判示第二の事実を確認するに充分である。」（最判昭二三・一二・四刑集二・一三・一六九〇）（平出・警研二二巻五号六五頁、刑評一〇巻一九七頁）。

本件はＡＢＣＤＥの共犯関係の事実であつて、被告人Ａについては、Ａの自白と共同被告人ＢＣの供述、被告人ＤＥについては自白はなく、共同被告人の供述のみによつて事実認定が行われたのである。判旨は結局、共犯者たる第一審共同被告人の検事に対する自供と、同じく原審共同被告人の原審公判廷における自供のみを証拠として被告人の犯罪事実を認定しても刑訴応急措置法一〇条三項にいわゆる「本人の自白」を唯一の証拠として断罪したものではないとしているわけであつて、明に「共同被告人の供述は刑訴応急措置法第一〇条第三項にいわゆる『本人の自白』に該らない」と明言するのであるから、先の【12】において懐疑的な論調を示していた共犯者の供述の補強証拠要否の問題は、ここにおいてにわかに否定的に答えられたことになる。しかしこれは未だ小法廷の判決である点に留意する必要がある。

【14】「所論は、共犯者又は共同被告人の供述はそれだけでは被告人の自白を補強する証拠とすることはできないと主張する。そして、また共犯者又は共同被告人の供述をもつて、被告人の自白を補強する証拠と認め得るが為には、共犯者又は共同被告人の供述自体が他の証拠により補強されており、かつその供述自体と他の証拠を共に証拠説明中に挙示していなければならぬと主張するのである。しかしながら、共同審理を受けていない単なる共犯者の供述は、各具体的事件について自由心証上の証拠価値の評価判断の異るべきは当然であるが、ただ共犯者たるの一事を以て完全な独立の証拠能力を欠くものと認むべき何等実質上の理由はない。また、かく解すべき何等法令上の根拠も存在しないのである。憲法第三八条第三項及び刑訴応急措置法第一〇条第三項の規定を援引して、かかる解釈を主張することも是認するを得ない。次に、共同審理を受けた共同被告人の供述は、それぞれ被告人の供述たる性質を有するものであつてそれだけでは完全な独立の証拠能力を有しない。いわば半証拠能力（ハーフ・プルーフ）を有するにすぎざるもので、他の補強証拠を待つてここにはじめて完全な独立の証拠能力を具有するに至るのである。しかし、その補強証拠は、必ずしも常に完全な独立の証拠能力を有するものだけに限る必要はない。半証拠能力の証拠を補強するに半証拠能力の証拠をもつてし、合せてここに完全な独立の証拠能力を形成することも許されていいわけである。されば、ある被告人の供述（自白）を共同被告人の供述（自白）をもつて補強しても、完全な独立の証拠能力を認め得ると言わねばならぬ。」（最判昭二四・五・一八刑集三・六・七三四）（此の判決は、直接には共犯者又は共同被告人の供述が、それだけで補強証拠になりうるか又は補強証拠として十分であるかという問題に対して言渡されたものではあるが、共犯者又は共同被告人の供述の補強証拠要否の問題にもふれているものであるため、ここに挙げる必要がある。）

本判決において、証拠の証明力という観念と証拠能力という観念が混乱している事はしばらく措くも、同じ共犯者の供述でも、共同審理をうけているか否かによつて取扱いを異にした点は注目に値する。(註六)すなわち判旨は共同被告人でない単なる共犯の供述は、被告人に対して完全な独立の証拠能力(それだけで被告人を有罪とする事ができる力の意)を有するのに対して、共同被告人の供述は、共犯であると否とを問わず、完全な独立の証拠能力を有しないものとするのである。しかしその理由はのべていない。おそらくは、本事件は刑訴応急措置法の適用される事件で、現行法の下におけるように、被告人の黙否権の明らかな保障は存在しないけれども、被告人が証人となり得ないことは旧法時代からの判例の認めるところであり、従つて、共同被告人の供述はあくまで被告人としての供述であつて、証人の供述とは同一視し得ないと考えているものと思われる。しかし共同被告人の供述(自白)は被告人に対する関係においては実質は証言であり、しかも応急措置法の下でも、共同被告人は被告人である限りは自己に不利益な供述を強要されない権利を有し(一〇)又被告人の反対尋問権も或る程度保障されていたのであるから(一一)、判決が共犯者の供述を共同審理を受けているか否かによつて取扱いを異にしようとするのなら、被告人の反対尋問権の保障の見地からも考察すべきであつた。その点、本判決は不十分のそしりを免れない。

本判決は、ここでの問題に関する最初の大法廷の判決であり、既に見たところからも明なように、前の小法廷の判決とは著しく見解を異にしたものである。その意味で、前の判決は覆されたものというべきである。なお本判決には斎藤裁判官の少数意見が附加され、共犯者、共同被告人の供述(自白)は実質は証言であり、それだけで他の共同被告人を有罪にしても、差支えないとして、むしろ前述【13】の判決を支持している。

（註六） このように共犯者の供述を、併合審理を受けているか否かによつて、取扱いを異にしようとする立場に対しては有力な反対説がある。曰く「共犯者はかならずしも刑法総則にいわゆる共犯にかぎらず、必要的共犯のばあいも含むと考えるのであるが、単なる手続上の共同被告人を含むものでない。共犯者である以上、審理が併合されているかどうかを問わないが、共犯者でない者がたまたま審理を併合されても、それによつてその供述が補強証拠を要するということになるべきではない。けだし、自白に補強証拠を要するかどうかは実体的なものであつて、手続とは関係がない。……手続を併合するかどうかという手続的な、しかも多分に偶然的な要素によつて実体的な補強証拠の要否が左右されるということは、はなはだ疑問である。」（団藤・「自白と補強証拠」刑法雑誌一巻三・四号九八頁）。しかし共犯者の自白は実質上は証言であつて、手続の併合によつて証言でないものが証言になるのではない。判例のように共犯者たる共同被告人の供述はいわゆる半証拠能力を有するにすぎず、それによつて、被告人を有罪とするためには補強証拠が必要だとするならば、この団藤教授の非難は正当だとしなければならないが、我々のように共同被告人の供述（自白）を被告人の不利益な証拠とする為には審判を分離しなければならぬとする見解は、反対尋問権の保障に関する手続上の問題であるから、審判の併合、分離という手続上の問題で左右される事は当然考えられるところである。事情により、審判の分離、併合をしばしば繰り返すことは「立てば証人座れば被告人」の観を呈し必要以上にこれを行うことは避けねばならないが、現行法上は止むを得ないとする判例がある（東京高判昭二九・九・七刑集七・八・一二八六）。

次いで最高裁第一小法廷、昭和二五年三月二日の判決（刑集四・三・二九一）は、右【14】の判決を引用して、同じ趣旨をそのまま繰り返したのであるが、次の第三小法廷の判決は右【14】の大法廷判決を無視して次のように判決した。

【15】「共同被告人若しくは共犯者の自白が憲法第三八条第三項の『本人の自白』にあたらないこと、（昭和二三年（れ）第四〇九号同年七月二二日第一小法廷判決、昭和二二年（れ）第一五一号同二三年二月二七日

第三小法廷判決……【10】筆者参照）も、共同被告人の供述が補強証拠となり得ること……も共に当裁判所の判例に示されている通りである。」（最判昭二五・五・三〇刑集四・五・八六三）。

すなわち、共同被告人の自白は補強証拠を要せずして、被告人を有罪とすることができると判決しているのである。又

【16】「共同被告人の供述は所論のように弁論を分離して、証人として訊問し被告人に反対訊問の機会を確保しなければ証拠とすることができないものではない。なぜならば弁論を分離しなくても共同審理の際に共同被告人は相互に反対訊問の機会が与えられているのであるから、（刑訴応急措置法一一条二項）他の共同被告人との関係において、その供述に証言としての証拠能力を否定すべき理由がないからである。そしてこのことは当裁判所の判例の趣旨に照して明である。（昭和二三年（れ）第七七号同二四年五月一八日大法廷判決刑集三巻六号七三四頁）（すなわち【14】筆者）……共犯者たる共同被告人の供述であるからといつて、全く証拠能力を欠くものでないことは、前示判例の示すところである。なお論旨は共同被告人の供述が半証拠能力を有するにすぎないのは、他人への罪責転嫁の危険性に基くとするものであるが、所論のような事情は陪審裁判でなくて、裁判官自ら事実の認定をする裁判においては裁判官の判断すべき証明力の問題にすぎない」（最判昭二六・六・二九刑集五・七・一三四四）。

本判決には注目すべき点が二つある。一は刑訴応急措置法一一条二項は被告人の反対尋問権を規定するもので、従つて応急措置法の下では、被告人（共同被告人）の黙否権は認められないと解している点、二は米法において、共犯者の供述（自白）に補強証拠を必要とする理由は、素人の陪審員によつて判断される陪審裁判には妥当しても、職業裁判官によつて事実の認定をする裁判においては認められないとする点。私は第一点については、憲法全体の精神及び憲法三八条一項、並に応急措置法一

〇条一項の規定から、応急措置法の下においても、被告人の訴訟当事者としての地位は尊重さるべきものであつて、現行法の下における程明確ではないにしても、或る程度、被告人は黙否権を有するものと解釈している。従つて、応急措置法一一条二項において被告人が共同被告人を訊問することができるとされているのが、被告人の共同被告人に対する反対尋問権の行使であると解することには疑問がある。しかしこの点は現行法の下においては、明文で解決されているから、弁論を分離しなければ共同被告人の供述は証拠とすることはできない（反対説のあることは前述（註五）参照）。第二点については同感である。共犯者、共同被告人の供述の証明力は裁判官の自由心証にゆだねられるべきものである。この意味において、本判決は先のいわゆるハーフ・プルーフ判決（【14】）を引用し乍らもそれと異る見解を表明したものと解することができるであろう。その後次のような判決も出ている。

【17】　「共犯者は被告人本人ではないのであるから、憲法三八条三項及び刑訴応急措置法一〇条三項にいわゆる『本人の自白』の中には共犯者の自白が含まれないことというまでもなく、含まれるという解釈を前提とする所論の理由なきことは、当裁判所の判例（昭和二二年（れ）第一五一号同二三年二月二七日第三小法廷判決……【10】筆者及び昭和二三年（れ）第一六七七号同二四年二月一七日第一小法廷判決）に徴しても明らかである。当裁判所の判例はしばしば共同被告人の供述が被告人本人の自白を補強する証拠となり得ることを判示している。（昭和二三年（れ）第一一一二号同年七月一四日大法廷判決）のみならず、被告人本人の自白がなくとも、相被告人が被告人本人の犯罪事実を供述し、その供述の架空でないことが被告人本人の供述その他の証拠によつて、保障せられている場合には、これによつて、被告人本人の有罪を認定し得るものとしている（昭和二四年（れ）第四〇九号同二五年七月九日大法廷判決）」（最判昭二六・八・二八、刑集五・九・一八〇九）。

【18】　（上告理由）「共犯者Aは第二審では共同被告人としてではなく、証人として供述しているが、Aは

共同被告人ではないとはいえ、共犯者であるから、その供述を唯一の証拠として、被告人を有罪としたのは憲法三八条三項に違反する。」

（判旨）「証拠の取捨、選択は、事実裁判所の裁量に属するところであり、また所論Aは第一審で共同被告人であつたが、既に確定判決を受け、第二審公判廷では証人として証言しており、第二審判決はこの証人の証言を証拠にとつたのであるから、所論憲法違反の主張は既にその前提において採るを得ない。」（最判昭二七・一二・二五刑集六・一一四二三）。

【19】「所論証人Aが当初被告人Pと共同被告人として併合審理されていたものであることは、所論のとおりである。しかし、第一審判決が事実認定の資料として引用した所論同証人の供述及びその供述記載は、右併合審理手続の分離後右Aが被告人Pに対する公判において証人として尋問された際における証言およびその記載なのである。……第一審判決が所論証人Aの供述及びその供述記載を独立の証拠能力あるものとして事実認定の資料に供したからとて所論のような違反があるとはいい得ない」（最判昭二八・二・一九刑集七・二・二八〇）。

以上によつて明なように、最高裁判所のこの問題に対する態度は、未だ動揺しており、明確な一線をうち出すまでには到つていないようである。

次に高等裁判所の判例を概観すると、

【20】「而してここにいう（刑訴三一九条二項三項……筆者）自白には、共犯者の自白をも含み共犯者の一人の自白を唯一の証拠として他の共犯者の犯罪事実を認定することは許されない」（福岡高判昭二四・六・二一特一・四三）。

本判決は共犯者の自白にも補強証拠を必要とする点で先の【14】に従つたものと考えられるが、共犯者が共同審理を受けているか否かを論じていない点で【14】とは反対の見解を示すものであろうか。

【21】「被告人がそれを唯一の証拠としては有罪とされることのない刑事訴訟法第三百十九条第二項憲法第三十八条第三項に所謂自白とは当該被告人自身の自白を内容とする供述及び同供述を記載した書面に限るべき

は右各条の文理解釈よりするも明白であり従つて共同犯罪事実に関する共犯者自身の自白を内容とする供述は右各条の自白に当らないものと言わなければならぬ」（名古屋高判昭二五・四・一七特八・五〇）。

【22】「被告人Aは被告人Bの共同被告人であるけれども被告人Bから本件餡パンを買受けた相手方であるから、被告人との関係においては実質上証人と同視すべき地位にあるものと謂ふべきであつて、かかる関係に立つ共同被告人の自白は憲法第三十八条第三項及び、刑事訴訟法第三百十九条第二項に規定する「自白」には包含されないものと解するを相当とする」（札幌高判昭二四・八・二四特一・九〇）。

【23】「自己に不利益な唯一の証拠として問題とされる自白とは有罪とされるかどうかの対象となつた被告人自身の自白のことであつて、仮令共犯関係又は共同被告人の関係があつても他の共犯者又は他の共同被告人の自白を包含しないのである」（福岡高判昭二五・二・一四特四・二四）。

【24】「刑事訴訟法第三百十九条第二項に所謂被告人の自白は当該被告人の自白のみを指斥するものであつて、共同被告人の自白はこれを含まない」（東京高判昭二五・六・二三特九・一五）。

以上【21】乃至【24】の判決は何れも、共犯者、共同被告人の自白には補強証拠を必要としない旨を表明して、前記【14】の大法廷判決と異る見解を示している。しかし【14】に従つて、共犯者であつても、共同審理を受けているか否かにより、その取扱いを異にする立場に立つている判決も多々あるのである。

【25】「共同審理を受けて居ない共犯者の供述は、各具体的事件について自由心証上の評価判断の異るべきは当然であるが、ただ共犯者であるという一事をもつて完全な独立の証拠能力を欠くものと認むべき何等実質上の理由はない」（広島高判昭二四・一二・二七特三・一四）。

これは先の【14】を文言そのまま踏襲して共同審理を受けていない共犯者の供述には補強証拠を要しないとするものである。

【26】「共同審理を受けた共同被告人の供述はそれぞれ被告人の供述たる性質を有するものであつて、それだけでは完全な独立の証拠能力を有しない、いわば半証拠能力を有するにすぎないもので、他の補強証拠を待つてはじめて完全な独立の証拠能力を具有するに至るのである」（大阪高判昭二五・四・二〇特一〇・五五）。

すなわち【14】の半証拠能力論を踏襲して共同被告人の供述には補強証拠を必要とする旨判示している。

【27】「刑事訴訟法第三百十九条第二項にいわゆる被告人の中には、所論のように当該事件の被告人のみならず、他の被告人をも包含するものと解するを相当とするが、しかしその被告人というのは共犯者として起訴せられ、しかも共同被告人たる地位を有する被告人のみを指すのであつて、たとえ共犯者であつても、別個の手続によつて起訴せられ、現に別個の手続により審判を受けている被告人はこれを含まず、かつこの理はかかる共犯者が共同被告人として起訴せられず、別個の手続において起訴せられた事情の如何にかかわらず、異るところはないものと解すべき」である（広島高判昭二五・九・三〇特一三・一二三）。

すなわち、共犯者たる共同被告人の供述には補強証拠を必要とするが、共同被告人でない共犯者の供述にはこれを要しないとするのである。【14】と同旨である。

要するに高等裁判所の見解も、最高裁判所の見解の動揺につれて、一定していないようである。

三　補強証拠

右に見た如く、判例の立場を是認するとしても、少くとも公判廷外の自白を唯一の証拠として被告人を有罪とするならば、憲法三八条三項に違反し、公判廷における自白であると否とを問わず、被告人の自白を唯一の証拠として有罪とするならば、刑訴三一九条二項に違反する。従つてかかる憲法違反或いは法令違反を回避するためには、自白に補強証拠が必要とされる。自白を補強する証拠については、（一）どういう証拠であれば、自白の補強証拠として法律が認めているかという問題と、（二）証拠により認定すべき事実の如何なる部分について補強証拠が必要であるかという問題と、（三）どの程度実体を証明する証拠であれば、自白と合して被告人を有罪とすることができるかという問題とを考えなければならない。（一）は補強証拠能力の問題であり、（二）は補強を要する範囲（量）の問題であり、（三）は補強証拠の証明力（質）の問題である。この三者は夫々別個に考えなければならぬ問題である。

一 補強証拠能力

補強証拠は、それ自体、証拠能力を有する証拠でなければならないのは言うまでもない。けだし、補強証拠を必要とするのは犯罪事実の認定についてであり、犯罪事実即ち「罪となるべき事実」の認定は、厳格なる証明を要するからである（横井・判例自白法七七頁）。しかし逆に証拠能力のある証拠が全て一律に補強証拠能力を有すると断定することはできない。自白に補強証拠を必要とした法の趣旨からある種のものは除外されなければならない。従つてそれを個々に検討してみる必要があるのである。

（一）共犯者又は共同被告人の供述　共犯者又は共同被告人の供述は、それが法律上証拠能力を認められているものである限り、補強証拠能力も亦認められる。これは英米法においても承認されている原則であつて、我が現行法においてもこれを否定する理由はない。しかし補強証拠は、犯罪事実の存否に関する証拠であつて、それ自体証拠能力のある証拠でなければならないから、原則として被告人の反対尋問権が確保され、又伝聞禁止の原則にひつかからないものでなければならない（註七）。従つて単なる共犯者の供述は、それが伝聞でない限り問題も起らないが、共同被告人の供述は、被告人の反対尋問権を確保する意味から、弁論を分離して証人としてなした証言でない限り、独立証拠としての証拠能力は勿論、補強証拠能力もないことになる(前述一の二参照)。

此の問題に関する最高裁判所の見解は一貫してこれを積極に解している。例えば先にあげた【12】においては、相被告人の供述を被告人の自白に対する補強証拠とすることは、さしつかえないとし、【13】は共同被告人の供述といえども、被告人本人の自白と相俟つて犯罪事実の全部を確認するに役立つ限り、刑訴応急措置法一〇条三項の「本人の自白」の補強証拠となり得るとし、【14】は共同審理を受けた共同被告人の供述（自白）は、それだけでは完全な独立の証拠能力を有しないが、被告人の供述（自白）を補強する場合には、合せて完全な独立の証拠能力を形成するもので、共同被告人の供述自体をさらに補強する他の証拠を要するものではないとし、【15】は共同被告人の間にいわゆる必要的共犯の関係があつても、民訴六二条一項の規定を根拠として、共同被告人の供述は補強証拠となり得ないものということはできないとしている。又最判昭和二五年七月七日(刑集四・七・一二三三)は相被告人の供述を被告人の自白の補強証拠として事実を認定しても、刑訴三一九条二項に違反しないとなし、最判昭和二三年七月一四日(刑集二・八・八七七)は、自白を補強する証拠はこれによつて自白の真実であることが肯認され得るものである限り、共同被告人の供述でも差支えないとする。その他、最判昭和二四年一二月二二日(刑集三・一二・二〇七〇)、最判昭和二四年一二月二四日(刑集三・一二・二〇八八)、最判昭和二五年七月一九日(刑集四・八・一四六三)、最判昭和二六年一月三一日(刑集五・一・一四三)も全て同趣旨である。高等裁判所の判例においても事情は大体同じであつて、【20】は共犯者の自白は相互に補強証拠となりうるから、本人の公判廷における自白と他の共犯者の自白とを証拠として有罪の認定をするのはごうもさしつかえないとし、【23】は、共同被告人の自白は相互に他の被告人の犯罪事実認定の補強証拠となりうるとなし【24】は、本件被告人の原審公判廷における自白を共同被告人でかつ共犯であるAの原審公判廷における自白で補強するのを正しいとしている。その他東京高判昭和二四年一〇月八日（東京刑集（二四年）一〇二）は、被告人の自白を内容とする相被告人の公判期日における供述は被告人の自白の補強証拠とすることができるとなし、東京高判昭和二六年九月一〇日（高裁刑集四・一〇・一二二四）は共同正犯者たる共同被告人の公判廷における自白は、他の共同被告人の犯行を認定するための補強証拠とすることができるとしている。又福岡高判昭和二四年七月一一日（特一・四六）は公判廷における被告人の自白が存在する場合に相被告人の自白を補強証拠に用いることは毫も差支えないとし、東京高判昭和二四年九月一七日（特一・一三七）は共犯者の供述も補強証拠として証拠価値を認めるのが相当であるとなし、広島高判昭和二四年一二月二七日（特二・三〇）は共同被告人の供述（自白）も被告人の自白の補強証拠とできるとなす。更に同旨の判例として、東京高判昭和二五年四月六日（特一六・五二）東京高判昭和二五年六月二三日（特九・一五）等を数えることができる。しかし次のような判例もある。

【28】　「凡そ共同被告人の供述は互に傍証となり得る性質を有するが、しかし之を傍証として採用し得る場合は該供述（自白）が具体的事実に対するものであつて、その真実性を確認し得る程度のものでなければ未だ充分とすることはできないものである。……本件に就て看ると、原審公判調書を通じ、被告人等の供述中犯罪事実に関するものは、単に検察官の起訴状の朗読に対して之を認める旨の供述（自認）があるに止まり、未だ以て具体的事実に対する供述（自白）と看ることができない性質のものであるから、これを採つて直ちに傍証

として引用することは不完全な証拠によつて犯罪を認定した誤りあるを免れない。……起訴状の記載は事実の結論であつて、具体的事実ではない……従つて起訴状の記載に対する答弁（自認）のみを捉えて直ちに傍証として引用することは結局において刑訴第三一九第二項に違反するものといわなければならぬ」（名古屋高判昭二五・一〇・二六特一三・九〇）。

この判決は勿論、共犯者、共同被告人の供述が、被告人本人の自白の補強証拠となりうることを正面から否定するものではなくて、ただ共同被告人の起訴状の記載に対する答弁は具体的な事実の認識の報告ではないから、傍証（補強証拠）にならぬというのである。

すなわち補強証拠能力を否定するのではなくて補強証拠として十分でないと言つているものと解する。或は共同被告人等の答弁は事実の認識の報告ではなくて、単なる意見の陳述にすぎないというのであれば、補強証拠能力が否定される事になるが、それは当面の問題たる「共犯者、共同被告人の供述の補強証拠能力」の問題とは関係がなくなる。

要するに当面の問題は、学説・判例共に憲法上も刑訴法上も肯定するものと解して誤りはなかろう。

（註七）　但し簡易公判手続の決定のあつた事件については、検察官、被告人、弁護人に異議のない限り伝聞証拠も補強証拠となり得る（刑訴三二〇Ⅱ）。又その証拠が共犯者、共同被告人の自白である場合、それが任意性のないものであれば勿論補強証拠能力もなくなる。

（二）被告人本人の供述　被告人自身の供述が自白の補強証拠となり得ない事は、法が自白に補強証拠を要求した趣旨から言つて当然である。それは憲法上も刑事訴訟法上も変るところはない。従つて、学説上それが通説的地位を占めるのも当然である（団藤・新綱要五訂二〇一頁註(七)、平場・刑訴講義二一五頁、田中・証拠法二三八頁）。しかし最高裁判所の見解は必ずしもそうでない。先にあげた【9】の判例は、当該判決裁判所（控訴審）の公判廷における被告人の自白は、憲法三八条三項にいわゆる「本人の自白」に含まれないが、第一審の公判廷における被告人の供述は前記「本人の自白」に含まれるとの立場から、（一）第一審公判調書中の被告人の供述記載と（二）被告人に対する司法警察官の尋問調書中の供述記載を証拠として有罪の認定をするのについては「互に補強証拠を要する同一被告人の供述を幾ら集めてみたところで所詮有罪を認定するわけにはゆかない」としたのである。これは補強証拠を要する被告人の自白の補強証拠は、被告人の供述であつてはならないとする点で正しい。しかし、最高裁判所は前述の通り、公判廷の自白は、公判廷外の自白と異つて、それのみで有罪の認定をすることができるとの見解を採つているので、公判廷外の自白が詳細で、公判廷の自白（自認）が犯罪事実の一部のみについてなされたような場合、公判廷の自白で、公判廷外の自白を補強するのは、憲法三八条三項に違反しないのではないかという問題が出される。そして最高裁判所はこれを憲法に違反しないものとしているのである。

【29】「被告人の当該判決裁判所の公判廷における供述が憲法三八条三項にいわゆる本人の自白に含まれないで完全な証拠能力を有することは、しばしば当裁判所の判例に示されているとおりである。本件の場合においては、被告人の公判廷外における自白と公判廷における供述と相俟つて判示事実を認定することができるのであるから、原判決には所論のように憲法三八条三項に違反するものではない」（最判昭二五・一〇・一一刑集四・一〇・二〇〇〇）。

此の大法廷の判決には、憲法の解釈として公判廷の自白にも補強証拠を要するとする見解の裁判官が反対意見を附されている外、島裁判官の独自の反対意見は注目を要する。

「憲法三八条三項の規定は、被告人の裁判外の自白は、たといそれが任意にされたものであつても、ときに真実に反することがありうるので、それだけで被告人を有罪とすることは危険である。被告人の自白の外にその自白の真実に合することを裏書するに足りるなんらかの他の証拠（それは罪体に関するものであることを要するか、或は自白が虚偽であるとすれば存在しなかつたであろう事実についての証拠で足りるかの問題には争があるとしても）があつて、その証拠により自白が補強されなければ有罪とされないという思想上の沿革に基いて制定されたことは疑ない。言いかえれば、この規定は、被告人の自己に不利益な供述だけで被告人を有罪とすることは危険であるとし、被告人の供述とは別個な他の証拠によつて被告人の供述の真実であることが裏書されたときでなければ、被告人を有罪とすることができない趣旨を明らかにして、かかる実際上の理由から、証拠法の一般法則を制限したのである。しかるに多数意見は、被告人の公判廷における供述によつて公判廷外における供述の証明力を補うことができるという趣旨を述べているだけであつて、憲法三八条三項の規定の本体には少しも触れていない。しかも、被告人が小麦六俵を米と一しよに運送したという被告人に不利益な情況事実の承認である自認と犯罪事実の全部の承認、すなわち罪責の承認をも含む自白とを同視してかかる自認に『完全な証拠能力』を認めている趣旨については理解し難い。本論旨で問題となつているのは、被告人の裁判外の自白である検事の聴取書中の供述を被告人の公判廷における供述のみで補強して有罪とすることができるかどうか、簡単に言えば、被告人の自白を同一被告人の供述で補強して有罪とすることができるかどうかであつて、被告人の公判廷における供述がそれのみで完全な証拠能力を有するかどうかの問題でない。」

勿論島裁判官は公判廷の自白には補強証拠を要しないとする見解を採つておられるのである。ところが本件の場合は、公判廷の自白は、客観的事実の全部を承認し、自己の有罪を認めた自白ではなく、被告人に不利益な事実の承認にすぎず、この自白だけでは被告人の有罪を認めるだけの心証が得られない場合であつて、より詳細な公判廷外の自白を、これで補強して、初めて全部の事実につき有罪とできるのである。しかし島裁判官は被告人の供述で補強することは法の精神にもとるとして、反対されたのである。此の反対意見は正当である。

その後相ついで【29】判例の多数意見と同旨の判例が現れた。たとえば次の大法廷判決の如きがそれである。

【30】「被告人の当該公判廷外における自白を証拠として、犯罪事実を認定するには補強証拠を必要とするけれども、その犯罪構成事実の全部に亘つて、一々これが裏付となる補強証拠を必要とするものではなく、要はその自白の真実性を保障するに足る他の証拠があれば足るのである。……いわゆる犯罪の主観的要件に属するものについては、その直接の証拠は当該公判廷外の被告人の自白……のみであつても、その客観的構成要件たる事実……について他に確証があつて、右被告人の自白の真実性が保障せられると認められる以上、それ等の各証拠を綜合して犯罪事実の全体を認定することは適法であると言わなければならない。しかして本件において、右客観的要件については、原審公判廷における被告人の自白があり、之によつて適法に右事実を認定することができる」(最判昭二五・一一・二九 刑集四・一一・二四〇二)(この大法廷判決にも当然少数意見が附されている)。

【31】「贓物罪において、本件のように寄蔵、牙保等の客観的事実が他の証拠によつて確認される以上、贓物たるの情を知つていたかどうかに関する事実は、たとえこれを認める直接の証拠は、司法警察官に対する被告人の自白のみであつても、結局、如上各証拠を綜合して、犯罪事実の全部が認められるかぎり、刑訴応急措置法一〇条三項にも、憲法三八条三項にも違反するものでないこと、しかして、右客観的事実に対する証拠が被告人の原審公判廷における自白であつてもその理は同一であることは当裁判所の判例の示すところである。(昭和二四年(れ)第八二九号同二五年一一月二九日大法廷判決……すなわち【30】筆者)」(最判昭二六・一・三一 刑集五・一・一二九)(少数意見が附されている)。

【32】「被告人の当該判決裁判所の公判廷における供述が憲法三八条三項にいわゆる本人の自白に含まれないこと、そうして本件の場合のように被告人の公判廷外における自白と公判廷における供述と相俟つて犯罪事

実を認定することは、何れも当裁判所の判例の示すところであるから、原判決は所論のように憲法三八条三項に違反するものではない」（最判昭二六・一二・一九 刑集五・一三・二五三五）（本判決においては少数意見は、沢田、井上、栗山、谷村の各裁判官が、公判廷の自白についても補強証拠を必要とするという見地から、島裁判官は本人の供述は被告人の自白の補強証拠にはならないとする見地から夫々のべられ、結局多数意見と少数意見の比は六対五になつた）。

これらの判決によつて、最高裁判所の見解は確定したものと見ることができるであろう。すなわち被告人本人の公判廷の供述を公判廷外の自白の補強証拠としても憲法三八条三項に違反するものでないと解しているのである。しかし【9】に見た如く、公判廷外の自白を同一被告人の公判廷外の供述で補強することはさすがに否認する。それには公判廷の自白には補強証拠を要しないとする最高裁独自の見解が基礎にあることを注意すべきである。

以上のような主張が何度も言う通り最高裁の公判廷における自白には補強証拠を要せずとする理論に基づくことは言うまでもない。しかしこの理論を認めたとしても、公判廷外の自白を同旨の公判廷における自白により補強できるとする結論を無制限に是認できるであろうか。補強証拠は自白と別個独立の証拠でなければならない。このことは単に形式的に証拠として別物であるというだけでは足りないで、実質的にも自白とは別個の源泉からでたものでなければならぬ。そうでなければ自白に補強証拠を必要とした法の趣旨は看却されてしまうことになるからである。従つて、被告人が公判廷において、公判廷外の自白をただ承認したような場合には、公判廷における自白は独立の証拠とは言い得ない。また外形上は独立に公判廷において自白したとしても、それが相互に心理的な連続のあるばあいは独立のものとは見られないであろう。しかも最高裁は公判廷における自白を定型的に任意であると擬制している以上、捜査機関の強制が潜在的に公判廷にまで延長したような場合にも、任意の自白として、公判廷の自白は証拠能力を持つのである。かかる公判廷の自白で、公判廷外の自白を補強できるとする事には大いに疑問なきを得ないのである(平場・「判例の補強証拠理論」法律時報二七巻六号六〇頁以下参照)。なお以上は何れも応急措置法の時代の判例であるが、現行刑訴法の下においても、下位法が変更したからと言つて上位法たる憲法の解釈が変更する理由はないのであるから、事情は同じでなければならないのは言うまでもない。

判例の憲法上の解釈は右の如くであるが、刑事訴訟法上の問題としては、刑訴三一九条二項が「被告人は、公判廷における自白であると否とを問わず、その自白が自己に不利益な唯一の証拠である場合には有罪とされない」と明文を以て規定している以上、最高裁が公判廷の自白をもつて公判廷外の自白の補強証拠とした前提が奪われることになるのであるから、これは同日に論ずることを得ない。果して高等裁判所の判例にはこれを否定するものが多い。

【33】「唯然し乍ら、原判決の挙示した証拠中大分県価格査定委員会主事の査定書は単に問題の手拭の規格や価額の査定に関するものに過ぎず、之を除けば原判決の証拠としたものは被告人の公判廷における供述と検察事務官に対する被告人の供述を録取した書面の記載だけであつて結局原判決は被告人の自白のみを唯一の証拠として犯罪事実を認定したものと云うの外はない。従つて原判決は刑訴第三一九条第二項に違反している」(福岡高判昭二四・六・八特一・一八)。

【34】「原判決挙示の各証拠を考覈するのに、その判示第三の事実の認定につきこれが証拠となるものは、被告人の原審公判廷における供述と被告人に対する司法警察官作成の供述調書であつて他に何等証拠となるものは存在しない、そして右の各証拠は孰れも被告人の自白をその内容としている。しからばこれらのみによつて判示第三の事実を認定できないことは刑事訴訟法第三百十九条第二項によつて明らかであると言わねばならな

い」(名古屋高判昭二四・九・二四特一・一六二)。

【35】「自白又は有罪の自認の補強証拠はひろく自白又は有罪の自認が真実であることを裏づけする証拠をいうのである。従つて情況証拠例えば被告人の生活の情況のような動機を示す証拠も時としては、所謂補強証拠となりうる。しかし、これは被告人の供述であつてはならぬ。それは自白以外の供述であつても、これを補強証拠とすることは自白や有罪の承認に補強証拠を要求する法の精神に反する」(東京高判昭二六・六・七高裁刑集四・六・六四一)。

その他、名古屋高判昭和二五年一一月八日(特一五・一一六)の判決は被告人の当公判廷における供述と被告人の司法警察員並に検察事務官に対する供述調書によつて判示事実を認定したのは刑事訴訟法三一九条二項違反であるとなし、又福岡高判昭和二六年九月二五日の判決(特一九・二〇)は、原審公判廷における自白と司法警察員作成の被告人の供述調書(自白)とを綜合して犯罪を認定するのは刑訴三一九条二項の法意にもとるとしている。何れも正当な解釈というべきである。

被告人の供述であつてもその信憑力の著しく高いもの、例えば犯行当時に記入した備忘録の如きものは自白の補強証拠となり得ないか(藤岩・「自白」法律実務講座八巻一八二七頁)。これについては二つの相反する高裁判決がある。(一)は被告人の自白と同人作成の備忘録により横領の事実を認定した原判決に対するものであり(否定)、(二)は無届で貸金業を営んだ事実の認定に被告人の手帳を補強証拠としたものである(肯定)。

【36】「備忘録ノートブックはその書面の意義が証拠となる証拠物と考えられ、旧刑訴時代においては斯様な書類は供述書として取扱われなかつたのであるが、新刑訴法においては右と反対の見解が採用されねばならぬものと考えられる。けだしかかる書類(被告人作成たると第三者作成たるとを問わず)が単に証拠物として無制限に証拠となるものとすれば同法の伝聞証拠排斥の原則は、この分野から崩壊するに到る虞れがあるのであり、現に同法第三二三条の規定においてこの種のものが供述たることを前提とする趣旨が窺い得られるので

あるから、前示備忘録ノートブックは被告人の作成した供述書と解すべきであり、従つて、結局被告人の自白のみによつて有罪と認定した違法がある」（名古屋高判昭二六・四・九、横井・前掲八二頁、藤岩・前掲一八二七頁による）。

【37】「右手帖は、被告人が本件犯罪の嫌疑をうける前に之と関係なく、本件その他の貸金関係を備忘の為、その都度記載したものである。かかる記載は所謂自白に該らないものと解するのが相当であり、その真実性と信用性は極めて高度であつて、刑事訴訟法第三百二十三条第三号によつて証拠とすることができるものと謂うべく、しかも独立の証拠価値あるものと認められるので、原判決が前記自白のほか、その補強証拠として右手帖を挙示したことは極めて相当である」（仙台高判昭二七・四・五高刑集五・四・五四九）。

要するに此の問題は、被告人の作成にかかる備忘録、手帳の類が刑訴三二三条三号によつて証拠能力が認められる場合においても、それが自白であれば、他の自白の補強証拠とはなし得ず、又自白でないとしても、他の自白と独立したものと考えられないような場合には、矢張り補強証拠とはなり得ないのである（後述【96】は被害者の被害届が被告人の自白に合致するように作成され、自白と独立のものでないところから、補強証拠として不十分とされている）。要は備忘録、手帳の類の内容如何によつて決すべき問題である。

(三) その他のもの　右にのべたもの以外の証拠については、それが間接証拠又は情況証拠であつても、はた又人証であろうと物証であろうと、証拠能力があり、犯罪事実を証明するものであれば別に問題は起らないであろう。次の判例はその点で正当である。

【38】「多数の情況証拠を自白の補強証拠とすることは差支えないところである」（最判昭二五・七・一三刑集四・八・一三六四）。

【39】「自白の補強証拠としては、主として犯罪の客観的方面に関するものであり、自白の真実性を裏附けするに足るものであれば十分であつて、その間接的証拠であると直接的証拠であるとを問わないものと解すべきである」（最判昭二六・四・五刑集五・五・八〇九）。

以上は憲法上の問題として論ぜられたところであるが、刑訴法上も同様に、先の【35】判例が、情況証拠例えば被告人の生活の情況のような動機を示す証拠も時としては、所謂補強証拠となりうるとしている他

【40】「被告人の任意にされた自白と之を補強する他の証拠とを綜合してその被告人の犯罪事実を認定しうる以上、他の補強証拠が物証であれ人証であれ、将又所論に所謂情況証拠又は推測証拠であらうとを問わず、その被告人を有罪とするに差支えない」(この判例は先の【23】と同一判決)。

【41】「強盗を自白した被告人が押収の証拠物を該強盗の奪取物件である旨自供した場合、該物件はもとより証拠物で自白そのものではないのであるから、自白にかかる事実の真実性が保障されるときは、該物件の存在は更に被告人の自供以外にこれが奪取物件であることを裏付けすべき証拠がなくても自白の補強証拠とすることができることはいうを俟たないところである」(福岡高判昭二六・一二・二五特一九・五五)。

なお福岡高判昭和二五年一一月二二日(特一五・一六五)は、犯罪の日時に関し被告人の公判廷の自白と約一年の差異ある日時を示している証拠は補強証拠としての適格性を欠くと判示しているけれども、ここにいう「適格性」とは証拠能力のことを指すのではなく、むしろ補強証拠の証明力の問題であろう。

二　補強を要する範囲

(一)　概説　自白に補強証拠が必要であるとして、如何なる範囲の事実について補強証拠が必要であるかが当然問われなければならない。これについては憲法上も、刑訴法上も特別に規定するところはないから、両者共その要求する範囲は同じであると解してよいであろう。又その解決は解釈によって決しなければならないのであるが、現行法の母法たる英米法の諸原則が大いに参照されなければ

ならないのは言うまでもない。

此の問題が英国で繰り返えし論議されるようになつたのは約百年以前からであるが、それまでは自白の証明力に関する法則はなかつたのである。一九世紀になつて裁判所でこの問題がしばしば論ぜられるようになつたが、一般輿論の傾向は確定的な法則を作り上げることを好まなかつた。しかし、ともあれ、裁判所の判例に現れた補強証拠を必要とする見解は、二つの傾向を示した。一は補強証拠は、自白を補強するものでさえあれば、どんな証拠であつても差支えないとし、二は罪体すなわち侵害事実を証明するものでなければならないとするものであつた。しかし何れも一般的な安固な足場を持つものでなく、強いていえば後者が流行する傾向を見せていた。現在イギリスで認められている限りでは、殺人罪に関して後者が大体一般的であるようである(Wigmore ibid. § 2070)。

アメリカにおいては少数の州を除いて、大多数の州は補強証拠が必要であるという見解をとつている。しかし如何なる範囲の事実について補強証拠が必要とされるかという点については見解が分れ、大多数の州では罪体に関する補強証拠がなければならないとするのに対して、少数の州では罪体に制限されず、自白の真実性を裏付ける証拠であればどんなものでもよいとしている(Wigmore ibid. § 2071 Wigmore は少数の州の見解の方が適切であるとしている。)

このように、英米法の自白の補強証拠に関する諸原則を考えるについては、いつも罪体(Corpus delicti)という観念につき当るのであるが、此の観念はヨーロッパ大陸では最初糺問手続において、訴訟法的な意味に用いられていたものである。すなわち糺問手続には、犯罪が行われたか否かを確定する一般糺問(Inquisitio generalis)と特定の行為者の確認に奉仕する特別糺問(Inquisitio specialis)

の別があり、Corpus delicti は特別糺問開始の訴訟条件であつて、一般糺問に於て確認されなければならない行為の範囲を意味するものであつた(平場・「構成要件欠缺の理論」論叢五三巻五・六号二六四頁)。この罪体の観念がドイツ語にほん訳されて、Tatbestand となり周知のとおり、実体法的に重要な意味を持つようになつたのである。

これに対して英米法においては、この観念は必ずしも明でなく、非常にルーズに法律上解釈されて来た。しかしウィグモアーの説くところによると、通常罪体という観念には次のような三通りの意味が附与されているということである。一は例えば、殺人罪における屍体、放火罪における焼失した家屋、窃盗罪における失われた財物等の如く、当該の犯罪行為による侵害、損害の惹起を意味し、二は以上の損害の惹起が偶然の事故によるものではなく、何人かの犯罪行為によるものである事をも含むとし、三は此の犯罪の実行者は、被告人と同人物であることまで含むものとするのである(Wigmore ibid. § 2072)。この中最も多数の判例において採用されているのは第二説であつて、第三説はウィグモアーが「議論するのも馬鹿らしい」と言つているように、これは全訴訟と同意異語にすぎない。自白の証明力をゼロとした見解である。従つて我法の解釈の参考として用いうるものは第一説と第二説であることになる。

我法の解釈として学説の一般に説くところは例えば団藤教授は「少くとも(客観的な……筆者)犯罪事実の重要な部分について補強証拠を要するものと解しなければならないであろう。」(刑法雑誌一巻三・四号四六八頁)とされ、田中教授は「犯罪の客観的要件事実については、その重要な部分のすべてについて補強証拠が必要であると解」す(証拠法二三五頁)とされ、又井上教授は「構成要件の客観的部分すなわち、いわゆる罪体の全部もしくはその重要な部分について補強証拠を必要とし、それで足りると解する」（井上・原論二〇七頁）とされるのである（平野・刑事訴訟法七八頁も同旨）。しかし何が重要な部分であるかについては各犯罪の特別構成要件について具体的に決しなければならないが、一般的に言つて犯罪構成要件の中核をなす要素は行為又は結果であることから、行為又は結果がいわゆる重要な部分に当ることは疑いない。しかし補強の範囲を「行為又は結果」とするか、「行為及び結果」とするかに従つて広狭の差を生ずるのであり、更に「行為及び結果」とは、行為と結果との間の因果関係をも含むとすれば、ウィグモアーの言う第二説に従うということにもなる。右にあげた団藤教授、井上教授の見解は前後の関係から広く解して「行為及び結果」或はそれ以上の範囲を要求して居られるように思われるが、田中教授は、発生した損害又は損失が何人かの犯罪行為によるという点については、自白のみによつて認定しても差支えないとして居られる点から考えて（田中・前掲二三三頁）「行為又は結果」の方を採られるのではなかろうか。江家教授は明に「行為又は結果」の方に拠られる事を明言して居られるが（刑事証拠法の基礎理論四七頁）、先にあげた自白に補強証拠を必要とする法の趣旨から考えて、行為又は結果のどちらかのみが補強されればよいという見解は狭きに失するのではなかろうか。要するに我が国の学説においても、ウィグモアーのいう第一説と第二説の対立が見られるのであるが、私は憲法三八条三項、並に刑訴法三一九条二項の趣旨から、団藤、井上両教授の見解に賛意を表したいのである。すなわち、故意、過失、主観的違法要素のような犯罪の主観的要件と、被告人がその行為者であるという被告人と事実の結びつきを除いた、純客観的な側面のうち重要な部分のすべてが補強の範囲に属すると解したいのである。そして、それがとりもなおさず、我が国における罪体の観念に他ならない。しかもこれに関する補強証拠は情況証拠でも差支えなく、又自白とあいまつて罪体を証明できる程度のものであれば十分であると考えるならば、実務上非常識な結論を導くような事もないと信ずるのである。

(二) 判例の見解

(1) 一般原則として　一般原則として裁判所は、補強の範囲をどのように解しているかは必ずしも明でない。例えば最高裁判所は、

【42】「自白を補強すべき証拠は、必ずしも自白にかかる犯罪組成事実の全部に亘つて、もれなく、これを裏付けするものでなければならぬことはなく、自白にかかる事実の真実性を保障し得るものであれば足る」(最判昭二三・一〇・三〇刑集二・一一・一四二七)(平出・刑評一〇巻六八頁高田・刑評一〇巻七一頁)。

昭和二四年四月三〇日の判決(刑集三・五・六九一)(城・刑評一一巻二三七頁)、昭和二五年一〇月一〇日の判決(刑集四・一〇・一九五九)及び昭和二五年一一月二九日大法廷判決(刑集四・一二・二四〇二)もこれと全く同旨である。すなわちアメリカの少数の州において採用されている原則に従つたものと思われる。その他

【43】「本件で問題となつている贓物故買罪の犯罪構成要件たる事実は(一)取引の目的物が贓物であること(二)贓物である情を知つて取引すること、(三)有償取引によつて取得することである。そして、各具体的の事件においては、被告人の自白と補強証拠と相待つて、犯罪構成要件たる事実を総体的に認定することができれば、それで十分事足るのである。犯罪構成要件たる各事実毎に、被告人の自白の外にその裏付として常に補強証拠を要するというものではない。そもそも、被告人の自白の他に補強証拠を要するとされる主なる趣旨は、ただ被告人の主観的な自白だけによつて、客観的には架空な、空中楼閣的な事実が犯罪としてでつち上げられる危険――例えば客観的にはどこにも殺人がなかつたのに被告人の自白だけで殺人犯が作られるたぐい――を防止するにあると考える。だから自白以外の補強証拠によつて、すでに犯罪の客観的事実が認められ得る場

合においては、なかんずく犯意とか知情とかいう犯罪の主観的部面については、自白が唯一の証拠であつても差支えないものと言い得るのである」（最判昭二四・四・七刑集三・四・四八九）（城・刑評一一巻一八三頁）。

此の判例は、先の【42】とは異り、ウィグモアーの言う第一説を採つているように見うけられるが、それも必ずしも明確でなく

【44】「憲法第三八条第三項において被告人本人の自白に補強証拠を必要としている趣旨は……大体主として客観的事実の実在については補強証拠によつて確実性を担保することを必要としたものと解せられるのである」（最判昭二四・五・一八刑集三・六・七三四、すなわち先の【14】と同一事件）。

といい、又

【45】「いわゆる自白の補強証拠というものは、被告人の自白した犯罪が架空のものではなく、現実に行われたものであることを証するものであれば足りるのであつて、その犯罪が被告人によつて行われたという犯罪と被告人との結びつきまでをも証するものであることを要するものではない」（最判昭二四・七・一九刑集三・八・一三四八）（同旨、昭二五・六・一三刑集四・六・九九五）。

【46】「裁判所が被告人の自白とその他の証拠とを綜合して犯罪事実を認定するにあつては、その犯罪事実の全部にわたつて、自白以外の傍証を必要とするのではなく、一部分については自白が唯一の証拠であつても、違法でない」（最判昭二四・三・二九刑集三・三・三八一）。

以上見た如く、最高裁判所の判例は、犯罪構成要件に該当する事実の全部については補強証拠は必要でなく、主観的要素は勿論のこと、客観的事実についても、その一部に補強証拠があればよいとしているのである。しかも、その如何なる部分が補強されればよいかという点も明でなく、ただ自白された事実の真実性を保障するものであればよいとしているようである（学説として判例の立場を支持するものに青柳・通論二九三頁、栗本・刑事証拠法一一三頁）。

たしかに、自白に補強証拠を必要とする法意が、先にのべたように、自白強要の弊害を防止する他、自白偏重より生ずる誤判の可能性をも排除する点にあるとすれば、判例の言う「自白にかかる事実の真実性を保障し得るものであれば足る」とすることも一応妥当であると考えなければならない。しかし、犯罪事実の重要ならざる一部分について、証拠がある場合、被告人が事件の概要を報らされた後、それに符合するように偽の供述をしたとすれば、それは、判例の立場からは、有罪を支持する十分なる範囲の証拠ということになろうが、我々の立場からは不十分である。従つて、自白にかかる事実の真実性が保障されたとするためには、「被告人の自白が架空の事に関するものでない」というだけでは不十分であつて、更に進んで、少くとも罪体、或は客観的構成要件事実の重要なる部分を証するに足る補強証拠を必要とすると言わなければならない（青柳・通論二九二頁は「罪体理論は、英米においては右のような変遷を経ており又一致しているものでもないので憲法の解釈上は必ずしも罪体に関する証拠を要するとまで解する必要がないのではあるまいか」とされるが疑問である）。自白の真実性の保障は、犯罪の客観的事実の重要なる部分について、補強証拠があつて始めて全うされる。それが憲法三八条三項の趣旨であると解する。平場教授は「補強証拠を要するとの法則が、補強証拠の存するばあい有罪認定を強制するものではなく、尚裁判官の自由心証により無罪認定も差支えない趣旨から考え、緩やかに解」すべきであるとして居られるが（平場・刑訴講義二一四頁）問題は、無罪認定のばあいではなく、有罪認定のばあいに、如何なる範囲、程度において補強証拠が必要とされるかの問題であるから、憲法三八条三項の趣旨から目的論的に把握しなければならない。従つて、しかく緩やかに解することには大いに疑問があるのである。

以上は最高裁判所の見解であるが、高等裁判所の見解も右と大同小異である。唯最高裁判所は殊更に「罪体」という観念を避けて、「犯罪構成要件に該当する事実」とか「犯罪事実」とかという用語を用いているのに対して、高等裁判所の判例中には時として「罪体」の観念をもちだしているのが見うけられる。しかし此の点は大した問題ではない。

【47】「案ずるに犯罪事実を認定するについて被告人の自白の外に補強証拠を要するとの趣旨は、被告人の自白だけによつて、客観的に架空な事実が犯罪としてつくり上げられる危険を防止するにあるのであつて、その補強証拠によつて、独立してその犯罪事実全部を認定できることを要しない」（仙台高判昭二四・一一・七特一・三一八）。

【48】「被告人の自白を補強すべき証拠は自白にかかる事実の真実性を保障するものであれば足りるのであるから、本件の如き殺人事件においては単に被害者の死亡の事実を証明するに過ぎない証拠であつてもそれが被告人の殺人の自白が真実であることを裏付けるに足るものである以上、補強証拠として充分であつて更に被害者の死因については必ずしも被告人の自白を補強する何等かの証拠を必要としないものと解すべきである」（広島高判昭二六・三・一二高刑集四・四・三一五）。

結論としては正しいが理由が不十分である。

【49】「自白を補強すべき証拠は必ずしも自白にかかる犯罪組成事実の全部に亘つて、もれなく之を裏付けするものでなければならないものではなく、自白にかかる事実の真実性を保障しうるもの換言すれば其の事実が架空のものでないことを推認しうるものであれば足りる」（仙台高判昭二六・八・二九高刑集四・九・一一一七）。

【50】「刑事訴訟法第三一九条第二項の自白だけでは有罪とされないという趣旨は被告人の自白だけで有罪の認定をすることはできない必ずその自白を裏付けするような補強証拠を必要とする意味であるが裏付けの補強証拠というのは自白を除いても補強証拠だけで犯罪の全部を認定するに足るものを必要とする意味ではなく、自白は全く架空のものではないと思わせるもの特に罪体に関し自白以外の補強証拠を必要とする意味である」（東京高判昭二五・七・四特一〇・三三）。

【51】「刑事訴訟法第三百十九条第二項に『被告人は、公判廷における自白であると否とを問わず、その自白が自己に不利益な唯一の証拠である場合には有罪とされない』旨の定めのあることは洵に所論の通りである。然し乍ら、この趣旨は他に、当該犯罪が何人かによつて行われたものであると言う客観的な事実つまり所謂罪体に処する実質的な事実を証明することができないと言う意味であつて、自白内容の全部に亘つて証明する傍証の存在がなければ被告人を有罪とすることができないと言う趣旨ではない。従つて右に所謂罪体を明かにする別個の証拠があれば、犯罪事実に関する被告人の自白と相俟つて優に被告人を有罪とすることができるのである。果して然らば、原判示各窃盗の犯罪事実が何者かによつて敢行されたものであることは原判決挙示のA、B、C各作成の被害届の各記載によつて充分これを認め得るところであるから、原審がこれらの証拠と被告人において原判示各窃盗の所為に及んだ旨の原審公判廷における被告人の自白とを総合して原判示事実を認定したことは所謂自己に不利益な被告人の自白を唯一の証拠として有罪とした場合に当らない」(東京高判昭二五・五・二二特一〇・二五)。

此の判例における罪体観念は、ウィグモアーの言う第二説に準拠しているように思われるのであるが、それが確立された高裁の一般的な見解というのでは決してなく、一般的には罪体観念の意義は必ずしも明確にはされていないのである。以下、補強証拠に関する判例を個々に検討して、裁判所は如何なる範囲の事実について、補強証拠を必要としているかの大体の傾向を考えてみたい。

(2)　犯罪の主観的要件について　犯罪の主観的要件については、学説、判例ともに大体一致して補強を要する範囲に属しないとする。これは米法においても確立された原則である。その理由は主観的側面についてまで補強証拠を要求することは、事実上しばしば困難を伴うからであろうと思われる(団藤・「自白と補強証拠」刑雑一巻三・四号四六七頁、井上・原論二〇七頁)。

これに対して城氏は以上の所説が「まことに中庸を得たものであり、刑訴の実際にも理解あるもの」と一応認められるのであるが、憲法三八条三項の立法趣旨から、「大いに疑問を持つ」として、次の如く説かれる。すなわち、憲法三八条三項にいわゆる「自己に不利益な」とは、有罪とされ刑罰を科せられる素因たる事実について言われているもので、被告人が犯罪を全面的に否認する場合には「不利益な証拠」は全犯罪事実に亘るものであり、犯罪構成要件たる事実の一部が当該事件の成否処断の軽重を決定する点であれば、それが自白以外に証拠を以て補強されるべき不利益な点である。従つてこの点の事実が犯意または認識の如き主観的要件に関する問題であることもあり得る。果してしからば、かかる主観的要件が自白のみによつて認定しうるとすることは、有罪として処断された最も重要な素因が、憲法三八条三項の保障の外におかれることになる。概して罪体についてのみ補強証拠を要し、主観的要件に属する事実についてはこれを要しないと説くことは、被告人の自白があればこれに拠つてたやすく認定する弊を生じ、自由心証主義の制限として作用する筈の規定が法定証拠主義を承認するが如き逆効果をもたらすとすることは、果して杞憂であろうか、とされる(城・刑評一二巻一八七頁)。しかし、憲法三八条三項の法意が先にのべたように、自白偏重より生ずる誤判の防止にあるとすれば、此の法の要求は、所謂罪体に関する補強証拠の存在を以て満足されるものではあるまいか。城氏は此法条の自由心証主義の制限を法定証拠主義の承認と等置するが如き口吻をもらしているが、犯罪の主観的要件を自白のみで認定できるということは、自白のみによつて、必ずそれを認定せよと言うことでは決してない。自白のみによつて裁判官が確信を抱くことができない場合には、当然他の証拠によつてそれを補強しなければならないのであつて、憲法三八条三項の自由心証主義の制限は、自由心証主義の否定ではない。制限されていない範囲内では当然自由心証主義が支配するのである。従つて問題は犯罪の客観的な側面に於て補強証拠があり、しかも裁判官の自由心証により、自白のみによって、犯罪の主観的側面についても確信ある場合に、尚かつ、その主観的側面についても補強証拠を必要とするかということになるのであるが、これを肯定するならば、自白の証明力は殆ど零に等しく、ウィグモアーが「議論するのも馬鹿らしい」と評した罪体に関する第三説に近づく。私は城氏の反論あるにかかわらず矢張り通説の立場を正しいと考えている（平野・判研二巻二号七六頁以下、一四八頁以下も主観的側面にも補強証拠を必要としている。）。

（イ）犯意について　犯意については、自白がなくても情況証拠によって認定することができる場合が多いのであり、たとえ自白があっても、これらの情況証拠が当然補強証拠とされるから、自白のみで犯意が認定されたという事案は稀である。次の判例もそう言った一例である。

【52】「次に原判決は、右検事の聴取書のみによって被告人の殺意を認定したものであると非難するのであるが、原判決は右聴取書の外に被告人の原審公判廷において供述した被害者殺害の方法並に兇器の存在等を総合して認定したものであることは、原判決挙示の証拠によって窺い知ることができる。論旨は理由なきものである」（最判昭二三・一二・二七 刑集二・一四・一九四四）（福田・判研二巻八号九一頁、なお福田氏は、本件について裁判所は兇器の存在を殺意の補強証拠としているが、これは罪体の補強証拠であって殺意の点は自白だけで認定すべきであったと主張している。）。

正面から犯意に関しては補強証拠を要しないと判決した判例としては先の【43】事件が傍論として「なかんずく犯意とか知情とかいう犯罪の主観的部面については、自白が唯一の証拠であっても差支えないものと言い得るのである。」とする他、次の高裁判例が注目に値する。

【53】「自白によって犯罪事実を認定するには所謂補強証拠は罪となるべき事実中所謂罪体についてのみ存在することを要し故意過失等の主観的条件についてはその自白のみによって之を認め得べく之に対する補強証拠の存在を必要としない。原判決挙示の証拠（被告人の司法警察員に対する供述調書、同検事に対する供述書及び判示の如き重傷を与えた打撃の強さ）を綜合すれば被告人は本件犯行当時少くとも所謂未必の殺意を有し

ていたことを窺知するに足る」（仙台高判昭二四・一〇・二七特三・一八、なおここに引用した控訴趣意第一点に対する判断は、特三・一八では、省略されているため、横井・判例自白法八八頁によつた。）。

【54】「自白によつて犯罪事実を認定するには所謂補強証拠は罪となるべき事実中所謂罪体についてのみ存在することを要し故意過失等の主観的条件については自白のみによつて之を認め得べく之に対する補強証拠の存在を必要としない」（福岡高判昭二五・八・一一高刑集三・三・三七七）。

【55】「刑事訴訟法第三百十九条第二項が日本国憲法第三十八条第三項の意を受けて、被告人の自白の外に補強証拠を必要とする旨を規定したのは、いわゆる罪体に関して、自白の外にこれを補強する証拠を必要とするというに止まり、被告人の主観に関する事項についてまでも、これを補強すべき証拠を要求したものでないと解すべきであるから、当該犯人が被告人であること、被告人に故意があつたこと等は、いわゆる自白のみによりこれを認めることができるものである」（広島高判昭二五・一〇・一二特一四・一二四）。

（ロ）共謀について　共謀すなわち、共犯者間の意思連絡についても補強証拠を要しないとするのが判例の立場である。

【56】「被告人と他の共犯者との間の強盗の意思連絡について、被告人の自白以外に他の証拠がないからとて、前記法律の規定（刑訴応急措置法一〇条三項……筆者）に違反して虚無の証拠によつて、事実を認定したものとは言えない」（最判昭二二・一二・一六刑集一・八八。）（団藤・高田・判研一巻六〇頁、平出・刑評七巻一二四頁）。

【57】「弁護人は本件は贓物運搬罪又は窃盗幇助罪に該当すると主張するにつき按ずるに被告人の当公廷における供述その他原審において適法に取調べた各証拠を綜合すれば本件各犯行はいづれも前記Aが直接窃盗の実行々為をなし、被告人は犯行現場附近にあつて右Aの窃取して来た物件を受取る役を分担していたことを認め得るけれども被告人が右Aと共謀関係にあつたことは前叙の如く被告人の原審公判廷における供述により明らかであるから原判決の事実認定に誤があると認めることはできない。尤も右共謀の点については被告人の自白以外に証拠の存しないこと弁護人所論の如くであるが窃盗行為自体につき自白以外の証拠の存する以上共謀

の点につき自白以外の証拠を欠くも有罪の認定をなすに妨げとならないものと解する」（高松高判昭二四・一一・一一特三・二五）。

（八）　知情について　贓物罪における贓物たることの知情の点は、所謂主観的違法要素として、構成要件要素に属すべきものではあるが、罪体の要素には属さず、自白のみで認定することが許される。

【58】「贓物故買罪は贓物であることを知りながらこれを買受けることによつて成立するものであるがその故意が成立するためには必ずしも買受くべき物が贓物であることを確定的に知つて居ることを必要としない或は贓物であるかも知れないと思いながらしかも敢てこれを買受ける意思（いわゆる未必の故意）があれば足りるものと解すべきである故にたとえ買受人が、売渡人から贓物であることを明に告げられた事実が無くても苟くも買受物品の性質、数量、売渡人の属性、態度等諸般の事情から「或は贓物ではないか」との疑を持ちながらこれを買受けた事実が認められれば贓物故買罪が成立するものと見て差支ない……本件において原審の引用した被告人に対する司法警察官の聴取書によれば被告人は判示㈠の事実（贓物たるの知情の点……筆者）に付き『(1)衣類はAが早く処置せねばいけんといつたが(2)近頃衣類の盗難が各地であり殊に(3)売りに来たのが朝鮮人であるからA等が盗んで売りに来たのではなからうかと思つた』旨自供したことがわかる右(1)乃至(3)の事実は充分人をして『贓物ではないか』との推量をなさしむるに足る事情であるから、被告人がこれらの事情によつて『盗んで来たものではなからうかと思つた』旨供述している以上此の供述により、前記未必の故意を認定するのは相当である。……しかし犯罪構成要件たる事実の大部分が他の証拠の裏付によつて認められる以上其一部については被告人の自白以外他に証拠が無くても所論法条に違反するものでないこと既に当裁判所の判例とする処で（昭和二十二年十二月十六日言渡昭和二十二年（れ）第一三六号事件参照……すなわち【56】……筆者）今なお変更の要を認めない従つて知情の事実の如き贓物故買罪成立要件の一小部分に付き被告人の自白以外他に証拠が無い旨を主張して原判決を攻撃する論旨は上告の理由とならない」（最判昭二三・三・一六刑集二・三・二二七）（平野・判研二巻二号七

六頁、平野助教授は「その賍物が本件のように衣類であれば、それだけで、賍物たるの知情の補強証拠といえるであらう。そしてそれ以上に売買の態様、処分の態様を証拠として持出すことはさほど困難でない。従つて賍物の知情の点で補強証拠のない場合をおそれる必要はない。憲法の規定をすなおに解釈して犯罪全体について補強証拠が必要だとしても賍物罪についてはそれ程支障は生じないのではなからうか」と言つて居られるが、それは知情の点についても補強証拠を必要とされる意味であらうが、疑問である。）。

【59】「賍物罪において、犯人が賍物たるの情を知つていたかどうかというがごときいわゆる犯罪の主観的要件に属するものについては、その直接の証拠は当該公判廷外の被告人の自白（本件においては第一審公判調書中被告人の供述記載）のみであつても、その客観的構成要件たる事実（本件においては、被告人がAから依頼を受けて、昭和二三年一月中五回に亘つて、連合国占領軍所属財産たるガソリンを預つた事実）について他に確証があつて、右被告人の自白の真実性が保障せられると認められる以上、それ等の各証拠を綜合して、犯罪事実の全体を認定することは適法であると言わなければならない」（最判昭二五・一一・二九刑集四・一一・二四〇二）（これは先の【30】と同一事件である。）。

【60】「賍物知情のような犯罪の主観的要件たる事項については、被告人の自供以外に直接の補強証拠を必要としないことは当裁判所屢次の判例とするところである」（最判昭二五・八・九刑集四・八・一五五六）。

【61】「原判決挙示の証拠中の㈢（原審第一回公判調書中の被告人の供述記載の部分……筆者）及び㈣（司法警察官聴取書中の被告人の供述の部分……筆者）を綜合すれば、被告人の賍物知情の点は優に之を認定することができるのである」（最判昭二五・九・八刑集四・九・一六三七）。

【62】「自白を補強すべき証拠は必ずしも自白にかかる犯罪構成事実の全部にわたつてもれなくこれを裏付けするものでなくても自白にかかる事実の真実性を保障し得るものであれば足りることは当裁判所が屢々判例とするところである」（最判昭二五・一〇・一〇刑集四・一〇・一九五九）。

その他先に引用した【31】【43】等も全て賍物罪の知情の点については補強を要しないとする。なお下級審の判例としては、

【63】「被告人が原判示各物品を買受けるに当りそれがいづれも前記の如き盗賍品であることにつきこれが認識を有していたことの所論知情の点は、原判決挙示の証拠中特に被告人の司法警察員に対する第二、三回供述

調書、同被告人の副検事に対する被疑者供述調書の各供述記載を綜合すればいづれもこれを肯認するに充分である。而してこれら被告人の自白だけを証拠として右知情の点を認定するとしてもこれは被告人に対する本件各贓物故買の犯罪事実の夫々その一部にかかるものであつて、右各犯罪事実全部についてはその外になお原判決において挙示する他の各証拠と相俟ちこれ等を綜合して初めてこれを認定し得るのであり、原判決はこの趣旨で証拠説示をしているのであることは言を俟たないところである」（名古屋高判昭二四・七・一八特一・六五）。

此の判決は、補強の範囲を客観的に限定することなく、犯罪事実の一部について補強証拠があり、自白にかかる事実の真実性が保障できればよいとする最高裁の見解と軌を一にするものと考えられる。結論としては妥当であつても、理由において不十分なものを感じさせる。

【64】「しかし乍ら原判決挙示の被告人の原審公判廷の供述は、弁護人所論の通り罪状認否に関する供述には、相いないであらうが、この供述も刑事訴訟法第三百十九条第三項によつて、公判廷における自白と同視されるものであるから、本件につき被告人自白なしとする所論は到底理由がない。しかも、犯罪構成要件たる事実の大部分が他の証拠の裏付によつて認め得らるる以上其の一部である知情の点に付ては被告人の自白以外他の証拠がなくても違法ではないとするのが最高裁判所の判例（昭和二十三年三月十六日第三小法廷宣告……【58】筆者）であるから、知情の点につき補強証拠が無い旨を主張して原判決を攻撃する弁護人の論旨を採用し得ない」（福岡高判昭二四・一一・一一特一・三〇七）。

本判決は引用の【58】事件と共に、「犯罪構成要件たる事実の大部分が他の証拠の裏付によつて認め得られる以上」と言つている点は先の判決よりは一歩すすんだものと言えるけれども、矢張り漠然たるを免れず、理由において不十分である。

【65】「本件において原判決は各判示事実について、各被告人の自白の外に各被害者の盗難届を証拠として

引用しているのであるから、所論のように贓物故買罪成立要件の一部にすぎない知情の点について各被告人の自白の外に他に証拠をあげていないからと言つて前記法律の規定に違背し採証の法則を誤つて事実を不法に認定したものということはできない」（福岡高判昭二四・一一・二九特三・七九）。

被害者の盗難届だけで贓物故買の罪体に関する補強証拠として十分であるか否かは疑問があるが、知情の点に関する結論は妥当である。

以上は贓物罪に関する知情の点についてであつたが、次の判例は公職選挙法違反事件に関し、投票及び選挙運動の報酬であることの知情について、

【66】「原判決が証拠に引用した被告人の司法警察員及び検察官に対する各第一、二回供述調書中の被告人の供述記載によれば原判示犯罪事実のごとく被告人は参議院議員選挙の立候補者に当選を得しめる目的を以て投票竝選挙運動方を依頼する報酬であるの情を知りながら金千五百円を受領した事実を認めることが出来る。しかして右判決は其の事実認定の証拠として被告人の右自白の外原審第二回公判調書中の証人Aの供述記載を挙げているのであつて、同調書によればAは自由党に所属し同党青森支部副幹事長をやつていて県会議員であり昭和二十五年六月四日施行の参議院議員選挙では自由党から青森地方区としてB、全国区としてCの両名を立候補せしめ其の当選を得せしめるため選挙運動に参加したが、同年五月下旬頃Dを通じて貸借関係もない被告人に現金千五百円をやつた事実を認定しうるのであるから原審は被告人の自白を唯一の証拠として右犯罪事実を認定したものではない。もつとも右証人の供述自体では被告人が投票竝選挙運動方を依頼する報酬であるの情を知りながら金員を受領した事実を直接認定することは出来ないけれども自白を補強すべき証拠は必ずしも自白にかかる犯罪組成事実の全部に亘つて、もれなく之を裏付けするものでなければならないものではなく、自白にかかる事実の真実性を保障しうるもの換言すれば其の事実が架空のものでないことを推認しうるものであれば足りると解すべきであるから右証人の供述記載により被告人が参議院議員選挙日の数日前に選挙運動者A

からDを通じて千五百円を受領した事実が認められ被告人の自白が架空の事実に関するものでないことは明らかであるから右証人の供述は被告人の自白の補強証拠として十分であるといわねばならない」（仙台高判昭二六・八・二九刑集四・九・一一一七）（前掲【49】事件）。

以上のように裁判所の立場は、大体一致して知情のごとき犯罪の主観的要素は、補強証拠を要せず、被告人の自白のみで認定しても差支えないとしている。然し次の如き判例もある。

【67】「要するに論旨は、被告人Aに関する原判示第四の犯罪事実中その㈡と㈢とについては、原判決は、被告人の自白のみを証拠として、知情の点、すなわち被告人は、その買受けた物件が盗品であることを知つていたという事実を認定したのであるから違法である、というのであるが、なるほど、この点の直接の証拠は、被告人の自白のみではあるが、これら売買の事実は、被告人の自白の外、売主たる窃盗犯人Pに対する司法警察官の訊問調書、同じく売主である窃盗犯人Qの原審公判における供述が証拠として引用せられているのみならず、さきに、㈠の事実（被告人がPより賍物を買受けた事実……筆者）よりわずか半月程前に、被告人が㈠の物件を買受けた際に、被告人は、売主たる窃盗犯人Rに対し、これは忍びか、たたき品かと聞いたので、Rは静岡の方の忍びだと告げたという事実は、原判決引用のRに対する司法警察官の訊問調書で、立証せられているところであり、原審はこれら諸般の証拠を被告人の自白と綜合して、すなわち如上諸般の証拠を被告人の自白に対する補強証拠として㈡および㈢の売買（被告人がQより賍物を買受けたという事実…筆者）についても、被告人は、その盗品であることを知つていたものと認定したのであつて、所論のように、被告人の自白を唯一の証拠として、これを認定したものでないことは原判文を検討すれば極めて明らかである。論旨は理由がない」（最判昭二三・四・一七刑集二・四・三五七）（平野・判研二巻二号一四八頁、刑評八巻二〇八頁）。

本判決は知情の点に関して補強証拠が必要であるか否かについては、正面から答えていない。この点をつく上告論旨に対して、自白のみで認定したのではなく、情況証拠があるのだと答えているのみである。あげられている情況証拠は確に知情の点に関する補強証拠たるに十分であるが、先の【58】事件の判決例に従えば、補強証拠の問題に立入らずに棄却できた筈である。平野助教授は此の判例の評釈において「積極的に補強証拠が必要だとまではいわないが、とにかくその補強証拠の問題を論じているのである。私はこの態度に敬意を表したい」。と言つて居られるが、我々の立場からは、自白のみで確信を抱くに到らなかつた場合は別として、不必要な証拠説示であると思う。次の高裁判例は、裁判所の一般的な見解に反して、知情の点についても補強証拠を要するものとしている。

【68】「原判決挙示の証拠は被告人の原審公廷供述と証人Aの原審公廷供述とであるところ所論の贓物なることの知情の点の証拠は結局証人Aの供述のみであつて、而も右証人の供述の内容は被告人が司法警察員である同証人の取調を受けた際の被告人の自白であつて之のみが被告人に不利益な唯一の証拠である。果して然らば右証言のみを採つて被告人が贓物であることを察知していたものと認定した原判決は刑事訴訟法第三百十九条第二項に違反し其の違反は明に判決に影響を及ぼすものと謂わなければならない」(名古屋高判昭二五・四・一二特七・一〇三)。

なお、知情の点に補強証拠が必要であるという見解をとるにしても、贓物罪の知情については、売買の態様、所持の態様、処分の態様、すなわち品目、価格、場所、時等の情況如何が十分補強証拠となりうるであろうから、実務上はそれ程の困難な問題とはならないであろう(平野・前掲一四九頁)。

（ニ）行為の目的について　ここに言う行為の目的とは、刑法一四八条の通貨偽造罪における行使の目的のごとく、所謂主観的違法要素として犯罪構成要件の要素と目さるべきものを言う。個々の犯罪人が自己の犯罪行為によつて如何なる目的を追求したかということは関係がない。かかる行為の目的についても、補強証拠を要しないとするのが判例の立場であるが、妥当であろう。

【69】 物価統制令違反事件に関し、買受けが営利を目的としたものである事実について

【事実】 被告人XとYは法定の除外事由なくして営利の目的で数回にわたつて統制価格を超えて米を売買し、又米を自動車で輸送したというので原審は両名を食糧管理法違反及び物価統制令違反で有罪とした。

【上告理由】 被告人Yは原判決の判示事実中、営利を目的としたものである点および買受けの米がAの生産したものである点については公判廷でこれを否認しており、この事実については原判決援用の証拠は、同人に対する司法警察官の聴取書及び検事の聴取書中の供述記載以外には他に何等の証拠もない。買受の米がAの生産したものである点についてはAの提出した始末書が援用してあるけれどもこの証拠ではYがXと共同して買受けたかどうかを証明するに到らない。従つて以上の点についての証拠は被告人Yの自白のみであるから、憲法三八条三項及び刑訴応急措置法一〇条三項に違反する。

【判旨】 「原判決挙示の証拠によると、原審は、被告人Yの判示第二および第四の犯罪事実中、同被告人の判示米穀の買受けが営利を目的としたものである点については、同被告人に対する司法警察官の聴取書中の供述記載により、又右買受けにかかる米穀がAの生産したものである点については、同被告人に対する検事の聴取書中の供述記載とA提出の始末書の記載とを綜合して、これを認定したものであることは明かである。しかしながら、その余の部分即ち第二の事実についていえば、被告人両名が共謀の上Aから粳精米を統制額を超えて買受けたという部分は、被告人両名の公判廷における自白と、A提出の始末書等を認定の資料とし、第四の事実についていえば、被告人Yが被告人Xから粳玄米を統制額を超えて買受けた部分は、被告人Yの公判廷における自白と被告人Xの判示のように、被告人Yに売渡した旨の公判廷における自白等を認定の資料としていることと原判決の証拠説明からこれを知ることができるのである。要するに原審は『物価統制令』第三条違反の行為については一個の犯罪事実の全体を当該被告人の検事又は司法警察官に対する自白のみで認定しているのではないから、原判決は所論のように日本国憲法の施行に伴う刑事訴訟法の応急的措置に関する法律第十条第三項に違反したものということはできない。論旨は理由がない」(最判昭二三・三・三〇刑集二・三・二七七)(団藤・高田・判研二巻二号一〇六頁、高田・刑評八巻一六四頁)。

物価統制令第三条違反の罪は「営利の目的」を構成要件要素とする犯罪である。しかしかかる主観的要素はいわゆる罪体に属するものではないから、補強の範囲には属さない。又X、Yが共同したという点についても同様である。判旨は一個の犯罪事実の全体を被告人の自白のみで認定したものではないとしているが、自白のみで認定できる範囲と、補強を要する範囲を依然として明確にしていない。

【70】　衆議院議員選挙法違反事件

「殊に所論に『所謂行為の目的』の如きは、右罪体の意味に照らし必ずしも自白以外の証拠を以て立証すべき限りではない」（東京高判昭二五・四・二八特一〇・一八・）。

【69】に比すれば、この判決の方がよりはっきりしていると言えるであろう。

(3)　犯人と被告人の同一性について　犯罪が行われたという点について、確証を得た後、その犯罪が当該の被告人によってなされたものであるか否か、すなわち犯人と被告人とが同一人物であるかどうかの点については、自白のみで立証することは差支えないとするのが判例の立場である。妥当な結論というべきであろう。

【71】「原審は被告人の自白のみならず多くの証拠を綜合して判示事実を認定したのであって、自白と原審挙示の他の証拠とを綜合すれば原審認定の犯行事実を認定することが出来る。かかる場合犯人が被告人であることの証拠が自白のみであっても違憲違法ではない。論旨は採用し難い」（最判昭二四・一一・二刑集三・一一・一六九一）。

【72】【事実】　被告人AがBCと、強盗しようと共謀し京都市内のY方で同人妻Mに対し暴行脅迫を加えて現金及び衣類を強奪した。原審裁判所は、第一審公判調書中A、B、Cの夫々の供述記載と証人Mに対する予審訊問調書中判示に照応する強盗被害顚末の供述記載を証拠として、被告人等を有罪とした。

【上告趣意】　証人Mの供述は、判示の日時に数人の犯人が侵入して同人に暴行脅迫を加えて現金・衣類を強奪して逃げたことを認めているが、その中に被告人Aも混つていたかどうかは全く不明である。その点が判るのは被告人の自白だけであるから、右の二つの証拠によつて被告人が共同正犯であつたと認定したのは応急措置法一〇条三項違反である。

【判旨】「……しかして、原判決は右事実を認定する証拠として、右被告人の自白の外、証人Mの予審における被害顛末の供述調書を挙げているのであつて、同調書によれば、本件強盗の事実に照応する被害顛末を認定することができるのであるから、原審は所論のように、被告人の自白を唯一の証拠として、右犯罪を認定したものではないのである。もつとも右被害者の供述自体では被告人が本件強盗に参加した事実は認定できないけれども、自白を補強すべき証拠は、必ずしも自白にかかる犯罪組成事実の全部に亘つて、もれなく、これを裏付けするものでなければならぬことはなく、自白にかかる事実の真実性を保障し得るものであれば足るのであるから、右予審におけるMの供述によれば当夜同人方に数人の犯人が押入つて、強盗の被害を受けた顛末が認められ、被告人の自白が架空の事実に関するものでないことは、あきらかであるから、右供述は被告人の自白の補強証拠としては十分であるといわなければならない。論旨は理由がない」（最判昭二三・一〇・三〇刑集二・一一・一四二七すなわち先の【42】）（高田・判研二巻七号四八頁）。

本判決も例によつて、補強を要する範囲を明確にすることなく、補強証拠は「必ずしも自白にかかる犯罪組成事実の全部に亘」ることは必要でないとして、従つて犯人と被告人の結びつきの点は自白のみで認定しても差支えないとしているのである。もつとも此の事件についての自白は公判廷の自白であるから、最高裁の立場からは、それのみで犯罪事実の全てを認定しても差支えない筈であるが、本判決はその点についてはふれていない。

その他、前掲【45】は「いわゆる自白の補強証拠というものは、被告人の自白した犯罪が架空のものではなく、現実に行われたものであることを証するものであれば足りるのであつて、その犯罪が被告人によつて行われたという犯罪と被告人との結びつきまでをも証するものであることを要するものではない」となし、又最判昭和二五年六月一三日(刑集四・六・九九五)は此の【45】を引用して同旨の判決を言渡している。更に最判昭和二六年三月九日(刑集五・四・五〇九)は前掲【71】を引用して「かかる場合犯人が被告人であることの証拠が自白のみであつても違憲違法でない」としている。又あの有名な三鷹事件においても上告趣意が、原判決は被告人竹内の自白のみによつて有罪を認定した違憲違法があるというのに対して「被告人の自白について、同人が犯罪の実行者であると推断するに足る直接の補強証拠が欠けていても、その他の点について補強証拠が備わり、それと被告人の自白とを綜合して犯罪事実を認定するに足る以上、憲法第三八条第三項の違反があるということはできない」(最判昭三〇・六・二二刑集九・八・一一八九)としている。

下級審の判例においても、最高裁の見解と大同小異であつて

【73】「原判決がその証拠としている被害者A、B、C、及びD等に対する各供述調書中の供述記載のみによつては同人等が酒又は金員を提供した相手方が果して被告人であるか否かを明確に知り得ないことは所論の通りである。しかし乍ら、刑事訴訟法第二一九条第二項が、被告人の自白が被告人に不利益な唯一の証拠である場合には有罪とされないと定めている趣旨は犯罪事実の全部に亘つていわゆる補強証拠を必要とする趣旨ではなく、被告人がその犯罪の行為者であることの如きは、被告人の自白のみによつて認定しても差支ないものと解するのを相当とする」(仙台高判昭二四・九・二七特一・一八四)。

【74】「被告人が犯罪事実を自白している場合有罪と認定するには該自白の外如何なる程度の所謂補強証拠を必要とするかの問題につき按ずるに、憲法第三十八条第三項及び新刑事訴訟法第三百十九条第二項の規定により被告人の自白の外に補強証拠が必要とされる所には被告人の主観的な自白のみによつて客観的に架空な事実が犯罪として認定される危険を防止するためであると考えられるから、被告人の自白と補強証拠と相俟つて

犯罪事実を客観的に認定し得れば足り、必ずしも罪となるべき事実全体に亘つて自白以外の証拠が必要であると解すべきではない。……今これと窃盗罪について考えるに、被告人が自白している場合その補強証拠としては検察官所論の如く右自白に照応する被害事実につき証拠の存する以上該被害事実と被告人の犯行との直接の結び付きについての証拠は必ずしも必要でないと考える」（高松高判昭二四・一一・二特一・三四七）。

なお又、前掲【55】も「当該犯人が被告人であること、被告人に故意があつたこと等はいわゆる自白のみによりこれを認めることができるものである。」となしている。

(4)　何人かの犯罪行為によるという事実　発生した損害又は損失が何人かの犯罪行為に起因するものであるという事実についても補強証拠を要するかの問題である。言いかえれば、罪体について補強を要するとして、その罪体の観念は、ウィグモアーの言う第一説を採るのか、第二説によるのかの問題である。最高裁の判例には此の問題を正面からあつかつたものは見当らないが、「補強証拠は必ずしも犯罪構成事実のすべてにわたる必要がなく、自白の真実性を保障し得るものであれば足る」というのが代表的な見解であるから、此の問題については恐らく否定的に答えるであろうと思われる。しかし高等裁判所の判例には次のような注目すべきものがある。

【75】「補強証拠は犯罪事実の如何なる点について、如何なる程度に必要であるかというに、具体的な犯罪事実についてその行為者が当該被告人であることや、故意、過失その他犯罪の主観的条件は自白だけで認定してもさしつかえないが、被告人との結びつきを切り離した犯罪構成要件該当事実の客観的部面については、自白と相俟つて、これを認定できる程度の補強証拠が必要であると解する。しかるにAの判示供述記載のみを以てしては、被告人の自白する点火場所に符合する箇所から発火して、原判示建物が全焼した点の補強証拠たり得ても、該建物の全焼が何人かの放火行為に起因する点の裏付けになるとは認め難いから、同人の右供述記載

は被告人の自白と相俟って、本件放火を肯認するに足る補強証拠としては不十分である」（広島高判昭二四・一一・一六特一・二四〇）。

此の判決は、建物の全焼という点については補強証拠があるが、それが何人かの犯罪行為に起因するという点では補強証拠がないから、罪体について補強されたとは言えないとしているのである。すなわち、原審判決は、ウィグモアーの言う第一説に準拠したのに対し、当判決は第二説によって、原審判決を不当としたのである。これに対して田中教授は、我が法の解釈としては、原審判決が正しいものとされ、その理由として、アメリカにおいても、罪体についての補強証拠が必要であるという法理が確立した最初においては、第一説が一般に採られていたのであって後に多くの州が補強証拠を要する事実を拡張して、第二説を採るに至ったものであるとされているが、我々の考えからは、むしろ何故多くの州においてこのように第二説をとるに到ったかが問題とされなければならないと考えるのである。もっとも田中教授は又次のようにも言われる。「この点をどう解しても、実質上の差異はそれ程大きくはないであろう。右の事件でも、この点を積極的に解する判例が確立しておれば、恐らく検察官又は裁判所は被害者にその発火箇所が火の気のあったところであるか等、諸般の事情を尋問し、情況証拠によって何人かの放火行為によることを確かめ得たであろう。又、この点を消極的に解しても、被告人が殺人の自白をし、死体が発見されたとしても、検証又は鑑定の結果他殺でないことが判明すると、殺人罪として罰することはないであろう。」（証拠法二三四頁）。確に補強証拠が情況証拠でもよく、又自白と相まって罪体を証明できる程度のものでよいと解すると、当面の問題を積極に解しようと消極に解しようと大した差異はないであろう。しかし建物が全焼したような場合には、漏電等の自然的事故によるのか否かが全く不明の場合も生ずるのである。又殺人罪にしても、死体と自白さえあれば、有罪とすることができるとすると、検証・鑑定の労をいとい、自白偏重に傾くおそれなしとしない。憲法三八条三項、刑訴三一九条二項の保障に万全を期するためには、むしろ当面の問題を積極的に解すべきではなかろうか。しかも此の考え方は田中教授も指摘されるように、実務上非常識な結論ではないのである。なお先の【48】事件において、殺人事件で被告人が絞殺を自白し、他に被害者の死亡の証拠があるが、その死因が犯罪行為によるものであるという点について、何等の証拠もない場合に、裁判所が「被告人の自白を補強すべき証拠は自白にかかる事実の真実性を保障するものであれば足りるのであるから、本件の如き殺人事件においては単に被害者の死亡の事実を証明するに過ぎない証拠であつてもそれが被告人の殺人の自白が真実であることを裏付けるに足るものである以上、補強証拠として充分であつて更に被害者の死因については必ずしも被告人の自白を補強する何等かの証拠を必要としないものと解すべきである。」とした。かかる場合、実務上被害者の死因が犯罪行為に基くことの立証は容易であつたのではないか。私はここに依然自白偏重の傾向がうかがえると思うのである。

(5)　犯罪の客観的要件について　以上概観したところから明な如く、判例の立場は結局犯罪の客観的要件について、補強証拠が存在すればよいということになる。しかしその客観的要件の如何なる部分について補強証拠を必要とするかということになると、判例の見解は必ずしも明でない。例えば「自白を補強すべき証拠は、必ずしも自白にかかる犯罪組成事実の全部に亘つて、もれなくこれを裏付けするものでなければならぬことはなく」(【42】)と言い、やや正確なる表現を用いる場合は「被告人本人の自白に補強証拠を必要としている趣旨は……大体主として客観的事実の実在については補強証拠によつて確実性を担保することを必要としたものと解せられるのである。」(【44】)としているのである。もつともここで言つている犯罪組成事実の中には客観的なもののみではなく、主観的なものも含まれているのであるが、客観的要件事実のみについてみても、その重要なる部分の全てについて補強証拠が必要であるのか、その一部について存在すれば足りるのかという重要な点はあいまいなままで残されているのである。こう言つた裁判所のあいまいな態度の底流をなすものとして、私は次の二つの高裁判例をあげて考えてみたいと思う。

【76】「被告人の自白を補強し有罪の認定をするに必要な補強証拠の範囲は自白の信憑力と相待ち刑事訴訟法第三百十八条による裁判官の自由な心証により自ら定るべきものであるから、必要補強証拠の量と価値の問題は所論のような刑事訴訟法第三百十九条第二項における採証法則に関係するものではなく、右第三百十八条における証拠の証明力に関するものと言わなければならない」（名古屋高判昭二五・四・一七特八・五〇）。

此の判決は明に補強証拠の量と質の問題を混同して、すべてを自由心証の問題として考えているのであるが、少くとも量の問題は自由心証以前の憲法上の要請である事を忘れている。

【77】「刑事訴訟法第三百十九条第二項が自白一般の証拠能力を制限する程度即ち自白が同条項により有罪の認定資料として法律上成立する為に要求せられる自白以外の客観的証拠資料と犯罪構成要件事実（罪体）との間に存すべき関係如何の問題と同法三百十八条の証拠価値の判断の問題とを先づ峻別することが概念を混同せしめないために必要である。而して前者の問題において罪体の如何なる範囲及部分に対し如何なる程度の補強証拠が必要であるかを問えば、其の答は罪体の何れの部分であらうとその一部に関し自白を裏付ける何らかの客観的証拠を具備するところがあればそれが如何に微小なものであつても前記条項の要求を最小限度に充足する補強証拠であると断すべきことは同条項の文理解釈によるのみで明白なところである。蓋し同条項はその自白が自己に不利益な唯一の証拠であるときと規定するからである。他方右後者の問題に於ては如何なる証拠

が犯罪事実を証明するに足るかが課題なのであり前記第三百十八条が証拠の証明力を裁判官の自由判断に委ねる限りに於ては被告人の自白のみでも犯罪事実を認定しても差支えない筋合であるが只公判廷外の自白について憲法第三十八条第三項の（刑訴応急措置法時代）、公判廷の自白を含めた自白一般について刑事訴訟法第三百十九条第二項の各制限によりそれが許されないだけなのである。

よつて前段で説明した（前者の問題として）ところの意味に於て右刑事訴訟法第三百十九条第二項の規定する自白証拠の制限に関する補強証拠の最小限に牴触しない限りは有罪を認定する為め罪体の如何なる部分と範囲に関し如何なる程度の補強証拠を必要とするかの問題は事実を承審する裁判官に於て自白の種類、性質、態様及び程度若くは範囲などの諸要素に応じ其の具体的な全訴訟資料に於て占める価値の比重や罪体との関聯を見窮め自由なる心証により自白の証拠価値を制定することによつて、之を決すべくかくして得られた自白の価値が高ければ高い程必要補強証拠はより少く、自白の価値小なれば小なる程より大なる補強証拠を要するものと言わなければならない。故に自白の価値を必要補強証拠の大いさは相互に反比例するのであり、其の一方の極は相互に他方の零に対応する。即ち若し自白の価値が零（皆無）の場合は必要証拠の大いさは最極限に達して罪体の全部に一致することとなり恰も自白そのものの存しない場合に於て罪体全部の証明を要するのと彼此同一状態となる。而して自白に証拠価値のないことは自白そのもののないことに等しいから無自白に対し罪体全部の証明資料を要することが動かすことが出来ない定理として承認せられる以上自白に証拠価値の皆無である場合に罪体全部の証明を要することも亦不動の原理として是認せられなければならず、従つてこの原理と同一の結論に帰着した前示の推論の正しいことがそれによつて証明せられたものと言うべきである。よつて右と逆に自白の価値が最高度に達する場合には必要証拠の大いさは最低限に低落することも亦同様の理由により其の証明を得たものと言うべきである」（名古屋高判昭二五・二一・二〇特九・四八）。

此の判決は最初の部分において、補強証拠の量と質との峻別を要求しながら、途中において、その両者を混同してしまつた。すなわち「自白の価値が高ければ高い程必要補強証拠はより少く、自白の価値小なれば小なる程より大なる補強証拠を要するものと言わなければならない。故に自白の価値と必要補強証拠の大いさは相互に反比例するのであ」る。とすることによつて、自白の証明力の如何が、補強の範囲を決定するかの如き錯誤に落入つている。補強の範囲は憲法三八条三項並に刑訴法三一九条二項の保障を目的論的に解釈することにより、自白の証明力とは無関係に（むしろ自白が百パーセントの証明力を持つたときですら）客観的に決定さるべきものである。又最高裁の代表的見地たる「補強の範囲は必ずしも自白にかかる犯罪構成事実の全部にわたつてもれなくこれを裏付けするものであることを要せず、自白にかかる事実の真実性を保障しうるものであれば足る」というのも、同様の見地から見ることができるのであつて、私はこの二つの高裁判例にあらわれた補強証拠の量と質との混同が、最高裁をも含めた裁判所全体のあいまいな態度の底流をなすものと看るのである。

こう言つたあいまいな態度は次のような判例となつてあらわれる。

【78】「原判決は、被告人の自白のみによつて所論判示事実を認定したものではなく、被告人の自白の外にAに対する司法警察官の聴取書中原判示の供述記載を補強証拠としてこれを綜合して認定したものである。そして右聴取書の記載は、被告人がAに暴行を加え因つて同人に傷害を与えたという事実を証するだけであつて、原判示の犯罪事実即ち強盗傷人罪の全部を証するものではない。しかし自白を補強すべき証拠は必ずしも自白にかかる犯罪構成事実の全部に亘つてもれなくこれを裏付けするものであることを要しないのであつて、自白にかかる事実の真実性を保障し得るものであれば足るのである。而して本件において前示聴取書の記載は本件犯罪構成事実の一部を証するものであつても、被告人の自白にかかる事実の真実性を十分に保障し得るものであるから、原判決は被告人の自白のみによつて判示事実を認定したものということはできないのである」（最判昭二四・四・三〇刑集三・五・六九一）。

すなわち強盗傷人罪につき、傷人の事実に関して補強証拠があれば、強盗の点については自白のみで認定しても差支えないと判決しているのである。そしてその根拠は、自白にかかる事実の真実性を保障する補強証拠があるからだとするのであるが、自白の真実性を保障する補強証拠であれば、それが犯罪構成事実の如何なる部分を証明するものであっても差支えないのであろうか。本判決において強盗の点につき補強証拠がないのに強盗傷人の有罪判決を適法としたのは、我々の立場からはとうてい是認できないところである。

【79】〔決定要旨〕「被告人の自白と盗難届書だけで賍物運搬の犯罪事実を認定しても、刑訴第三一九条第二項に違反しない」(最決昭二六・一・二六刑集五・一・一〇一)。

この判決も【78】と同様に、罪体の重要なる部分である運搬について補強証拠なくして賍物運搬罪を認定したものであつて不当である。これについては次のような小谷裁判官の少数意見が附されているが、正当な見解である。すなわち

「被告人に対する犯罪事実を認定するには、当該犯罪構成要件事実の中、少くともその客観的部分については被告人の自白のみをもつてしては足らず、必ずや他にこれが補強証拠の備わることを必要とするものというべく、これこそ憲法第三八条第三項の要請するところであると信ずる。ところで本件の賍物運搬罪については、その構成要件として当該物件が賍物たること被告人がこれを或る地点から他の地点迄運搬したこと、及び被告人がその賍物たるの情を知つていたことの各要件を必要とするものであるから前二者の客観的要件事実については之れを認定するに被告人の自白のみをもつてしては足らず、これが補強証拠を必要とするわけである。然るに本件において第一審判決は証拠として前示多数説に示すとおりの証拠をあげているが、その内被告人の自白以外の証拠としては結局盗難届書唯一つである。そして右盗難届書をもつてしては、本件物件が盗品たる

ことの補強証拠たるに止まり、未だ被告人が判示のごとくこの物件を運搬したいという事実については到底これで自白を補強する証拠たり得るものでない」（横井・判例自白法九四頁以下による）。

【80】「補強証拠は必ずしも犯罪構成要件たる事実の全部を証明するに足るものであることを要しない。その一部を証明するもので十分である。原判決は『被告人は罪を犯して所在をくらましているうち……A方において同女よりその長女B（生後約二十七日）を貰受け其の後扶養を続けていたので之を保護すべき責任があるのに不拘所持金がつきたるため……右Bを置去りて以て之を遺棄したものである』と事実を認定し、その証拠として、被告人の原審公判廷における判示同旨の供述とAの検察事務官に対する第一回供述調書中判示に照応する供述記載とを挙示している。而して右Aの供述調書によると、同女は被告人に対し、同人が子供を可愛がり、子供好きに見えたので、自分の長女Bを衣類等と共に呉れてやつたのであるとの記載があるので、結局これによつて、原判示事実中の被告人がAからその長女Bを貰い受け之を保護する義務を負担していたことを証明することとなり、之と原審公判廷における被告人の自白とを綜合して原判示事実……を認定できるから、原判決は被告人の自白のみによつて有罪を認定した違法はない」（札幌高判昭二四・九・二六特一・一八七）。

此の判決においても、被告人が保護の義務を負担していたという点について補強証拠があるが、最も重大な犯罪行為たる遺棄したという事実については補強証拠がない。従つて被告人を有罪としたのは不当である。

【81】「贓物故買の事実についての被告人の公判廷における自白は、被害者の盗難被害届によつてこれを補強することができるから所論刑訴三一九条二項違反はない」（最判昭二九・五・四刑集八・五・六二七）。

本件において補強証拠となつているのは、窃盗の被害届だけである。この被害届だけでは、自白の中にあらわれた客体が確に贓物であることを立証するには十分であろうが、贓物の知情（これについては補強証拠は必要でないとしても）は勿論、被告人がそれを買つたことの証拠にはならない。勿論故買の事実を直接立証しうるものは窃盗本犯だけかもしれないが、補強証拠は情況証拠だけでもよいのであるから、被告人がその賍物を所持していたという程度の補強証拠は必要である。従つて判旨は不当であると言わねばならぬ。この事は先の【58】にも当てはまることである。

しかし窃盗事件につき盗難被害届のあるような場合には、被害物件の存在、並にその損害が何人かの犯罪行為に基くものであることが立証されているから、罪体に関して補強証拠の存する場合と言えるであろう。例えば、

【82】（判決要旨）「窃盗犯人が被告人であることの証拠は被告人の自白だけであつても、被害者の始末書に窃盗被害の日時及び被害物件等について被告人の自白にかかる事実を裏書するに足りる記載がある以上、右自白と始末書の記載を綜合して被告人に窃盗の罪を認めても、違憲違法ではない」（最判昭二六・三・九刑集五・四・五〇九）。

【83】「憲法第三十八条第二項刑事訴訟法第三百十九条第二項の法意は被告人の自白だけでは犯罪を認定することはできない被告人の自白がありても必ずその自白を補強するような支柱的証拠を必要とするというのである。しかし乍ら論旨に言う如く自白を除いても所謂補強証拠のみで全犯罪事実を証明することができなければならぬという趣旨ではない。原判決は被告人の自白と被害者の盗難被害届によつて被告人の本件犯罪事実を認定しているが右盗難被害届によつて確に本件の如き盗難事件のあつたことが判り被告人の自白は架空なことでないことが立証せられるからこの支柱的証拠と被告人の自白と相待つて被告人の本件犯行も認定したのであつて右憲法及刑訴法の法条に背くものではない」（東京高判昭二四・一〇・二九特五・五八）。

その他、仙台高判昭和二四年一一月七日（特一・三一八）、東京高判昭和二五年五月二二日（【50】）、名古屋高判昭和二五年六月二八日（特一一・七二）等も全て窃盗被害届だけで、窃盗罪の補強証拠として十分であると

している。結論としては妥当というべきである。又

【84】「原審は原判決摘示の第十三において、被告人が公に認められた場合でないのに、連合国占領軍用の薄茶色夏服一着、同ラシャ製長ズボン一枚を昭和二十三年中又は同二十四年中の或る期間夫々福岡市その他で所持していたという公訴事実を認定して、有罪の判決をしているが、原判決挙示の証拠中被告人の原審公判廷における自白、司法警察職員に対する供述（自白）以外には前記衣類が連合国占領軍用のものであることの証拠は存在しないから、原審は被告人の自白のみを唯一の証拠として有罪の判決をしたものと言わなければならない。そうだとすると、原判決は、被告人は公判廷における自白であると否とを問わずその自白が自己に不利益な唯一の証拠である場合には有罪とされないという刑事訴訟法第三一九条第二項の明文に違反することとなり、その違法は原判決主文に影響を及ぼすことは明かだから原判決は到底破棄は免れない」（福岡高判昭二四・一二・二六特六・四八）。

すなわち占領軍財産不法所持罪において当該物件が占領軍のものであるという点は、犯罪構成要件事実の中、重要な部分であるというのである。行為の違法性を理由づける要素であるから、当然の判決といえるであろう。

【85】「物価統制令第三条違反の罪は価格統制のある物資を売買したことのみにより成立するものではなく、法定の統制額を超過した代金で売買することを要するものであるところ、原判決挙示の証拠を調査するに、原審公判調書によれば被告人Aは原審公判廷で同被告人がBに売却した代金につき二回に亘り雑用セメント十トンを夫々五万五千七百五十円で売却した旨の公訴事実に対し単に其の通り相違ない旨陳べ、弁護人小河虎彦の問に対し代金の点は相違ない旨答えて居るにすぎないのに反し、被告人Aに対する司法警察官の聴取書被告人Bに対する司法警察官の第一回訊問調書の各供述記載によれば両人共二回に亘り夫々雑用セメント十トン但二百二十五俵を一俵二百七十円の割で合計六万七百五十円で売買した旨の供述をして居り、右被告人Aの原審公判に於ける供述と矛盾して居る。従つてこれを綜合するも原判示の代金五万五千七百五十円を認定することは

出来ず原判決には其の他に原判示事実を認定した証拠を挙示して居ないから結局原審は被告人Aの原審公判に於ける自白のみを証拠として其の販売代金を認定したものといわなければならぬ。而して物価統制令第三条違反の罪はその売買価格の如何が重要な要件であることは前述の通りであるから、此の点に関し原判決が被告人の自白のみを唯一の証拠として有罪と認定したのは刑事訴訟法第三百十九条第二項に違反した違法があるものと謂うべく、右違法は判決に影響があることは明らかであるから結局原判決中被告人Aに関する部分は破棄を免れない」(広島高判昭二五・七・一九特一一・一二〇)。

物統令違反の罪においては、売買代金の如何は、当該物件の所有権の移転が犯罪行為に基くものであるか否かを決定する重要な点であるから補強の範囲に属する旨判決しているのであって妥当である。又福岡高判昭和二四年一一月二八日(特一・三〇四)も、米、麦を販売統制額超過の代金で販売したという事件において、その価格が統制額を超過したものであるという事実については被告人の自白以外に補強証拠がないから、これを有罪とした原判決は刑訴三一九条二項違反であると判決している。

以上のように裁判所が「構成要件事実の一部について補強証拠があれば足るのであるから適法な判決である」とする判例の中に、客観的要件事実の重要な部分について補強されている場合とそうでない場合とがある。これは何度も言う通り、裁判所が補強証拠の量(範囲の問題)と質(証明力の問題)を峻別せずあいまいな態度を示すところに原因があるのである。なお犯罪の日時、場所について次のような判例がある。

【86】「元来犯罪の日時は罪となるべき事実ではないばかりでなく、しかも、その中の一部だけについて被告人の供述のみによつてこれを認めたからと言つて、所論のように法令の適用を誤まつたものと言えないことは極めて明かである」(東京高判昭二五・四・一七東京高裁刑集二五年度(三)二九)。

福岡高判昭和二四年一〇月二六日(特二・一八)も之と同旨である。しかし犯罪の日時、場所について、一般的に此の判旨が妥当するというのではなかろう。構成要件の如何によつては、日時場所が特に行為の可罰的違法性を理由づける場合もあるのであるから、このような場合には当然補強の範囲に属するものとしなければならない。

(6)　罪となるべき事実以外の事実　罪となるべき事実以外の事実は、厳格なる証明を必要とせず、いわゆる自由なる証明で足りるのであるから、補強証拠を必要としない。これは判例・学説ともに承認するところである。この点に関し判例に現れたところを概観してみると、

(イ)　累犯加重原因たる前科の事実について

【87】「刑事法に自白とは被告人(被疑者)が……犯罪事実自体の全部又は一部について自己の刑事責任を認める供述を指すのであつて被告人(被疑者)が単に自己に不利益な事実を認める供述(例えば前科ある旨の供述)は自白ではなく承認である(刑事訴訟法第三百二十二条等参照)。従つて前示憲法三十八条、刑事訴訟法三百十九条の自白の証明力の制限は所謂犯罪事実認定の場合にのみ関するものであつてその他の場合にまで妥当するものではない。換言すれば犯罪事実に非ざる事実を認定する場合にはよしそれが刑の加重事由に当る場合でも被告人の所謂自白のみで(補強証拠なしに)足りる」(福岡高判昭二四・九・六特一・一二四)。

いささか、もつてまわつた表現をしているが、結局、罪となるべき事実に属するものでない限りは、それが刑の加重原因になる事実であつても、自白のみで認定しても差支えないというのであろう。同様に、

【88】「被告人の前科は法律上刑の加重原由たる事由であつて判決主文の因つて生ずる理由として判決において必らずこれを認定し判示することを要するけれども、もともと罪となるべき事実ではないから必ずしも証

拠によつてこれを認めることを要しないしまた、証拠によつてこれを認めるにしても所論のように補強証拠として前科調書等を挙示することなく、被告人の供述だけでこれを認めることを妨げるものではない。論旨は理由がない」（福岡高判昭二五・四・一九特七・六四）。

【89】「前科に関する事実については、被告人の供述のみによつてこれを認定しても違法ではない、論旨は理由がない」（福岡高判昭二四・一一・七特一・三一〇）。

その他、福岡高判昭和二四年一一月一二日（特六・三八）、東京高判昭和二五年三月四日（東京高刑集二五年度（二）一三）も同趣旨である。なお、最判昭和二九年一二月二四日（刑集八・一三・二三四三）も補強規則は犯罪事実の認定に関するものであるから、累犯加重の原因にすぎない前科の事実を被告人の自白だけで認定しても、違憲違法でないとしている。

（ロ）確定判決を経た罪の存在　刑法四五条後段（「若シ或罪ニ付キ確定裁判アリタルトキハ、止タ其罪ト其裁判確定前ニ犯シタル罪トヲ併合罪トス」）の場合において、さきに確定裁判を経た罪が存在するという事実も、矢張り罪となるべき事実ではないから補強証拠を要しない。

【90】「刑事訴訟法第三百十九条第二項によつて自白の補強証拠を要する事項は同法第三百三十五条第一項に規定するところの罪となるべき事実の範囲に限るものであつて、認定の犯罪事実がさきに確定裁判を経た罪と刑法第四十五条後段の併合罪となる場合に、その確定裁判を経た犯罪の存在する事実は罪となるべき事実ではないから、これを認定するには被告人の自白のみを以てしても、それは刑事訴訟法第三百十九条第二項に違反するものではない」（札幌高判昭二六・二・二六高刑集四・一・七二）。

（ハ）追徴の前提である賄賂費消の事実

【91】「憲法三十八条三項の定める、自白を唯一の証拠とすることの禁止は、もともと犯罪事実の認定に関

するものであることは、当裁判所大法廷の判例の趣旨に徴して、おのずから明らかである。……しかるに、被告人がAから収受した所論金二千円を費消したという事実は、もとより被告人の収賄罪を構成する事実ではなく、単に右金員を没収することが不能となつた原因として追徴の理由となつているにすぎない。それゆえ、原審が、右費消の事実を、所論供述調書中の自供のみを資料として認めたとしても、すこしも違法でない」（最判昭二六・三・六刑集五・四・四八六）。

(7)　併合罪について　併合罪は、実体上も手続上も数個の犯罪であるから、その数毎に補強証拠を必要とすることには異論がない。

【92】「原審は本件公訴事実第一乃至第五の事実を全部有罪と認定し……以上全般の共通証拠として一、被告人の当公廷に於ける供述、二、被告人の司法警察員並に検察事務官に対する供述調書、三、被告人の身上調書、四、領置調書（証第一、二号）を掲げているものである。そこで右の三、被告人の身上調書なるものを記録によつて探索すると結局記録第九十七丁の所謂本籍照会調書に外ならないので、これが原審認定事実のいづれの証拠たることを得ないことは明かである。次に右四、領置調書を記録によつて探すと記録四十二丁添附のA提出証一、物品売渡証並に証二、印鑑の領置調書であることを知るが、同売渡証並に印鑑とは如何なるものかを前記原審挙示の証拠を渉獵した結果漸く前記二、被告人の司法警察員に対する供述調書中記録第七十六丁あたりに記載された問答により始めて被告人が判示第三並に第四の金員を交付せしめるに当りB又はAに手交した物件であることを了知することが出来る次第である。しかし同物件は右の如く判示第三又は第四の認定事実に関連する証拠たるにすぎず、其の余の判示第一、第二、第五の各認定事実には無関係の物件と言わなければならないので、同物件の前記領置調書は仮に判示第三、四の各事実の補強証拠となることが出来るとしても、其の余の各判示認定事実に関しては何らの証拠価値なく結局これら事実に対しては原判決挙示の前記一及び二の被告人の供述又は供述調書以外に之を補強すべき何らの証拠がないことに帰する。よつて原判決は其の認定した併合罪の一部につき刑事訴訟法第三百十九条第二項に規定する採証の法則に違反した違法がある」（名古屋高

判昭二五・一一・八特一五・一一六)。

同様の判旨が東京高判昭和二五年四月一九日(横井・判例自白法九三頁による)においても見られる。

(8)　包括一罪或は科刑上一罪について　包括一罪或は科刑上一罪の一部を補強なしに自白のみで認定しても差支えないかどうかの問題である。

【93】(判決要旨)「常習賭博罪を構成する二個の賭博行為の中一個の賭博行為を被告人の第一審公判廷の自白のみにより認定した場合は、他の行為について右自白の外に補強証拠があつても、刑訴応急措置法第一〇条第三項に違反する」(【8】)(平野・判研四巻一号二〇九頁)。

【94】「本件において処罰の対象となるものは、被告人の売渡行為であつて、その買受行為ではない。そして被告人の売渡行為を原判決引用の買受及び販売一覧表に基いて買受行為と売渡行為とを対照して見ると補強証拠がなく被告人の自白のみで認定しているのは、昭和二十四年五月二十二日岐阜県揖斐町の山賀某に売渡した靴下三種合計十三打にすぎない。原判決のこの措置はもとより違法ではあるけれどもその数量から見て、原判決の刑の量定に影響はないものと認められる」(大阪高判昭二五・九・一九特一五・六九)。

此の二つの判例の趣旨によれば包括一罪を認定する場合に、これを組成する各個の犯罪行為毎に自白の外に補強証拠を必要としている。しかし此の考え方は実務上相当の不便あるのみならず、包括一罪は併合罪と異り、それを組成する数個の行為及び結果が、夫々各別個に犯罪を構成するものではなく、他との関連において包括せられ、一個の犯罪行為として取扱わるべき場合であるから、判例の考え方をそのまま受取る事はできないという見解も生ずる(渡辺桂二・「判例を中心とする訴因及び証拠の研究」司法研究報告書五輯三号一五二頁)。江家教授は、補強の範囲は罪体の重要な一部すなわち、行為又は結果のどちらかで足りるとする立場から犯罪事実が

「数個の行為又は数個の結果から成るときは、数個のうちの主要部分の証明があれば足りる。例えば包括一罪においては、包括せられる数個の行為又は結果の主要部分について補強証拠があればよい。但し、自白の補強証拠は自白した単一の犯罪ごとに必要なのであるから、被告人が数個の犯罪を自白した場合に、それぞれについて補強証拠を必要とする。……数回の賭博行為を自白している被告人について常習賭博罪を言渡す場合に、各賭博行為の自白にそれぞれ補強証拠を必要とするか。常習性を認定するに必要な限りにおいて補強証拠を必要とするであろう」(「刑事証拠法の基礎理論」四八頁)。すなわち常習賭博罪において、自白だけしかない賭博行為を除外しても、他の賭博行為によつて常習性が認定できる場合には、先に除外した賭博行為も合して全体として常習賭博罪を認定して差支えないということになるのであろう。包括一罪の一罪性から考えれば、此の考え方がより妥当であるようにも思われる。しかし此の一罪を組成する各個の行為は夫々独立のものであつて、一個の行為の補強証拠は他の行為については何の証明力も持たないし、一個の行為の自白が補強されたからといつて、それが他の行為の自白も確実だという証拠にはならない、従つて私はやはり判例の見解を正しいものと考える(平野・前掲参照)。

科刑上の一罪については適当な判例が見当らないが、これについても江家教授は「処分上の一罪は、科刑の点においてのみならず、訴訟手続の上においても一罪として取扱わるべきものであるから、最も重き犯罪について補強証拠があれば足りる。」とされる(同四九頁)。科刑上の一罪は「其最モ重キ刑ヲ以テ処断」されるのであるから(刑五四I)、最も重き犯罪について補強証拠があれば、被告人の不利益となる誤判のおそれはなく、その意味で江家教授の見解は妥当であると言わねばならぬ。

三　補強証拠の証明力

（一）概説　前にものべた通り、補強証拠の量と質、範囲と証明力の程度はこれを区別して考えなければならない（藤岩・前掲一八三〇頁註一は反対）。何とならば、補強の範囲の問題は、自由心証以前の採証法則に関係するものであるのに対して、証明力の問題は自由心証そのものに関する問題であるからである。従って裁判官は自白のみによつて事件の実体に関し完全な心証を得た時ですら、なお、憲法上、刑訴法上、補強証拠が要求されるのであつて、補強規則の問題はむしろ裁判官が自白のみで完全な心証を得た時を前提として論ぜられなければならないのである。

これに対して裁判所の一般的提言によれば「自白を補強すべき証拠は必ずしも自白にかかる犯罪構成事実の全部にわたつてもれなくこれを裏付けするものでなければならぬことはなく、自白にかかる事実の真実性を保障し得るものであれば足る。」（【42】【62】【59】等）。「自白と補強証拠と相俟つて全体として犯罪事実を認定し得られる場合には被告人の自白の各部分について一々補強証拠を要するものではない。」（【43】（最判昭二八・五・二九刑集七・五・一一三二）等）。「憲法三八条三項が本人の自白に補強証拠を必要としている趣旨は、被告人の主観的な犯罪自認の供述があつても、客観的に犯罪が全然実在せず、全く架空な場合があり得るのであるから、大体主として客観的事実の実在については補強証拠によつて確実性を担保することを必要としたものと解せられる（【44】【14】最判昭二八・一二・二二刑集七・一三・二五九九）というのである。補強証拠の量と質の区別に関しては、実にあいまいたるを免れず、ただ最後の提言のみが、おぼろげに問題の所在を意識しているにすぎない。この点をなお明確にするために、次の二点について、判例の見解を確めたい。

（二）補強証拠の証明力の程度　右に見た補強の範囲は、補強証拠のみで、確信の程度の心証を得せしめることを要するのか、または自白と綜合してはじめて確信を得せしめる程度で足りるのかの問題である。アメリカの判例においても、補強証拠が独立して罪体を立証する程度の証明力を持つことを必要とせず、又我が国の学説においても、自白と綜合してはじめて心証を得せしめる程度で十分であるとするのが通説である（団藤・新綱要二〇一頁、江家・基礎理論四九頁、但し、平場・「判例補強証拠理論」法律時報二七巻六号六〇頁は反対）。此の程度で満足しても、自白に補強証拠を必要とする法の趣旨は滅却されず、又実務上も非常識な結論をさけることができる。従つて自白と補強証拠の双方によつて犯罪事実に関する確信が得られれば良いのであるから、一方の証明力が大であれば他方の証明力は小であつても差支えない。この意味において抽象的には自白の信憑性と補強証拠の証明力とは反比例すると言つてもよい（【77】参照）。しかしこの事は事実上自白が百パーセントの証明力を持つときには、補強証拠の証明力は零であつても差支えないというのではなく、少くとも法律上は自白が百パーセントの証明力を持つということはあり得ないのであるから、犯罪の客観的事実の重要な部分については、自白と独立な、しかも自白と独立して或る程度の証明力を持つ補強証拠が要求されることになる。それが如何なる程度で足るかは結局自由心証の問題として考えなければならない。

この問題についての裁判所の見解は、先にあげた一般的提言を以て明なところであり、すでに掲げた幾多の判例においても繰り返えし述べられているところであるから、夫々参照され度い。今此のような見地から、補強証拠として不十分とされた例を若干引用してみると、

【95】「補強証拠として掲記せられている……右各供述が自白を補強する価値を有するか否かを検討するに、Aに対する検察事務官の供述調書によれば同人は……十八日頃被告人と共に競輪場え行つた事実がないというに止りBの原審公判における供述によれば同人は……堀野組船舶下請工場に勤務中における収入の状態を知り

得るに過ぎない。以上の二つの証拠を綜合して認め得るところは、被告人が所持していた現金二万円が何等の不正の方法により獲得せられたものであるかも知れないことを窺わしむるだけであつて右金員が盗品であることを推認せしめることは到底できない。凡そ補強証拠というのは被告人の自白が真実であるということを保障するに足るもの即ち被告人の自白した或る特定の犯罪が架空のものではなく現実に行われたものであることを証するものでなければならない。然るに本件は原判示第二の窃盗にして被告人の自白はあるが之を補強するために掲げられた右証拠によつては本件窃盗があつた事実即ち特定の犯罪が現実に何人かによつて行われたということを立証するこ とができない」(大阪高判昭二五・七・一三特一四・二八)。

補強証拠は情況証拠であつても差支えなく、又補強証拠だけで確信を得せしめる必要もないが、被告人の所持金についての弁解を否定するだけの証拠では、積極的に罪体を推測せしめる程度の証明力もないということになるのであろう。判旨は正当である。

【96】「会社では帳簿上は判示石炭並にコークスは全部納入されたことになつており、右盗難の事実は知らなかつたが警察から注意を受け又被告人自ら判示石炭並にコークスを運搬中に盗んだことを認めたので被告人の言う通り盗まれたものと認めて始末書を提出したもので事実盗まれたかどうかは不明である、というに帰着する。従つて右証言のみによつては被告人の自白が単に架空の自白でないことを保証するに足りないものと言わねばならぬ」(東京高判昭二六・一・三〇刑集四・六・五六一)。

此の事件の補強証拠は、被告人の自白と独立のものでないという点から補強証拠能力を欠くものと判断すべきであつた。しかしその証明力を評価してみても、罪体を推測せしめるにも足りない。

【97】(判決要旨)「一定の酒類を現に所持しているという事実だけでは、過去において同種の酒類を不法に販売したという自白の補強証拠とはならない」(【34】)。

「販売」行為は罪体に属するが、当該補強証拠の証明力は、その点にまで及んでいないのである。判旨は妥当である。

被害者と異なる者名義の盗難届を補強証拠とした場合につき

【98】「A作成の盗難届を見るに…記載自体から見れば同人自身が被害者のようである。若し、そうであるとすれば、原審認定の事実と符合しないことになる。何れにせよ、右届書の作成人たる甲は原判示被害者と如何なる関係があるのか、如何なる関係において盗難の事実を知つているのか、如何なる事情においてこの届書を出したのであるか一切不明である。或は同人は無関係な路傍の人であるかもしれない。要するに、右の諸点を明かにした上でなければ、右盗難届を以て断罪の資料とするに足らないものと言わなければならない。右届書が直に断罪の資料とならないとすれば、本件の証拠は只単に被告人の自白のみということになる」(福岡高判昭二四・一〇・一七特五・四一)。

補強証拠の信憑性をついた判決である。

(三)　自白の内容と補強証拠の齟齬　右にのべたように、補強証拠は自白と相俟って犯罪の客観的構成事実の重要なる部分を立証するものでなければならないから、自白の内容と補強証拠の内容が重要な点で喰違うと、それはも早補強証拠としての証拠価値を失うのは勿論である。しかし何がその重要な点であるかということの把握の仕方如何によつては結論が大いに異るし、或は又喰違いの程度如何も影響するところが大きいであろう。

此の問題について判例に現れたところを見ると、

(1)　齟齬の大なるものとされた例

(イ)　日時に一年の食違いある場合

【99】「原判決は被告人の原審公判廷における供述……の外Ａの犯則事件取調顛末書、領置書……検察官副検事Ｂ作成の被告人の供述調書を証拠として被告人は法令上許された場合でないのに、昭和二十四年五月五日熊本駅構内で葉煙草一貫匁を所持していたものであるとの事実……を認定している。しかしながら前示被告人の原審公判における供述以外の前記証拠によれば被告人が熊本駅において葉煙草一貫匁を所持していたのは昭和二十三年五、六月頃のことであつて、同二十四年五月五日ではないようである。尤も原審における被告人の前示供述は形式的には一応公訴事実……に対する自白と見らるること勿論であるが、その前歴から法律に暗いと思われる被告人が果して犯罪日時の点まで諒承の上公訴事実を肯定したものかどうか多大の疑がある。又仮にかひなき自白であるとしても之に対する何等の補強証拠も存在しない。なんとなれば原判決が挙示している前掲三つの証拠は約一年を距つる日時における被告人の煙草所持に関するものである。しかして仮に所持の場所及数量が同一であつても両者の間にかかる長日月の距りのある以上、その間に所謂事実の同一性ありとは到底言われないからして前示三証拠が本件公訴事実に対する被告人の自白の補強証拠としてはその適格を有しないこと明かであるからである」（福岡高判昭二五・一一・二二特一五・一六五）。

本件においては、自白によつて証明される事実と、補強証拠によつて証明される事実とが、所謂事実の同一性を保ち得ないからその証拠は補強証拠としての適格性を欠くというのである。ここに所謂事実の同一性の観念を持ち出した事は、興味をひくが、その同一性の範囲を決定する目的が、所謂事実の同一性と補強証拠の関連性とでは全く異るものであるから、一応の標準を示したことにもならないであろう。しかし結論は妥当である。

（ロ）　犯罪の実行者において喰違いのある場合

【100】「原判決は『被告人は内縁の妻Ａと共謀の上法定除外事由がないのに、Ａをして昭和二十四年二月十六日米八升をＰ村よりＱ駅まで輸送せしめたものである。』という事実を認定し、その証拠として被告人及びＡ

の副検事に対する供述調書の記載を挙示して居り、右Aの供述調書の記載は被告人の副検事に対する自白の補強証拠として挙げているものであることが明かであるが、同右各供述調書により副検事に対する被告人の自白の内容とAの供述の内容とを比較検討すると被告人の供述調書には『本年二月十六日にもAと二人で米買いするためQ駅で下車したのでありますが、金の持合が少かったので……Aにお前丈行って来いと言って買わせにやったのでした。昼近くにAが八升だけ買って来たと言って持って来ましたので、二人で其の米を持って東京に行く心算でいました。』とあるのにAの供述調書には『本年二月十六日被告人と二人で米を買いに来てQ駅に下車したのでありますが、私は駅前の千葉という宿屋にいましたので被告人がP村へ行って米八升を買って歩いて持って来たのです、買って来たのは私でなく被告人です』とあり……右被告人の供述記載とAの供述記載とは共犯者中の何人が犯罪の実行に当ったかという最も重要な点に於て、くいちがいがあり後者によって前者の真実正確なことを肯定することができないものというべきであるから、Aの副検事に対する供述調書の記載は被告人の副検事に対する自白の補強証拠たり得ないものといわなければならない」(仙台高判昭二四・一二・二七特八・九五)。

此の判決に対して田中教授は「自白と補強証拠とされたAの供述との異なるのは(被告人とAとがQ駅で下車した点は一致していて)P村まで買いに行って持って来たのがAであるか被告人であるかの点にすぎない。罪体に関する補強証拠としては充分であると考える。補強証拠は犯人と被告人の結びつきに対してまでも必要なのではない。」(田中・前掲二四一頁註一)とされているが、此の見解が正当である。すなわち補強の範囲外の事実における喰違いは重大な喰違いとはいえないのである。

(2)　重要な齟齬でないとされた例

(イ)　犯罪の日時の喰違いについて、判例は大概大した喰違ではないと考えているようである。

【101】「原判決が第二事実として認定した被告人のA方における窃盗の日時が被告人の原審公判廷における

自白によれば昭和二三年七月一四日午前一時半頃であり、被害者A作成の盗難被害届書によれば、同月一八日午前三時頃とあつて、その間四日の違いがあることは所論の通りである。原審は被告人の自白を信用できるものとしてこれによつて前記窃盗の日時を認定したものと思われる。いずれの証拠を信用するかは原審の判断に委ねられているのであり、数多の証拠を綜合認定の資料とする場合にその一部において牴触する点があるとしても、その一を捨て他を採ることはもとより妨げないのであるから、これを目して違法であると言うことはできない。それに仮に届書記載の日時が正しいとしても四日の違いにすぎず、これがために本件では法律上の判断に影響を及ぼすものとは認められない。弁護人は、届書の日時は自白の日時と違うのであるから、届書は自白の補強証拠とはならないと言うのであるが、届書に書かれてある被害の場所、被害者、被害物件等は自白と一致している。つまり、届書に書かれている本件窃盗の具体的な客観事実は自白と一致しているのであるから、届書は補強証拠として役立つのである」（最判昭二四・七・一九 刑集三・八・一三四一）。

又福岡高判昭和二四年一〇月二六日（特二・一八）は、窃盗の日時が自白によれば昭和二四年四月二六日午前四時頃となつて居り、参考人の供述によれば、同月二七日午後八時から二八日午前六時半までの間である場合に、原審が自白の日時によつたのに対して、犯罪事実のうちの一部にすぎない日時のような点を認定するのに、補強証拠を必要としないとなし、又広島高判昭和二五年一〇月一八日（特一四・一二七）は窃盗の日時が被告人の自白によれば一は昭和二四年一二月一一日頃、二は昭和二五年一月三日頃となつて居り、被害者の盗難届によれば、前者は昭和二四年一一月二一日、後者は昭和二五年一月三〇日である場合に、原審が自白によつたのに対して「犯罪の日時は罪となるべき事実でないのであるから、斯くの如き多少の相違は補強証拠としての証拠力に影響するものではない。」とした。更に最判昭和二八年五月二九日（刑集七・五・一一三二）も「被告人が業務上横領した物件の一部（単純一罪中の一部）にその横領年月日の点で被害届書の記載と被告人の自白が一致しない点があつても、その被害届書の記載と相まつて被告人の自白が架空のものでないと認められる以上、右被害届書を補強証拠とすることができる。」としている。

(ロ)　攻撃の客体又は被害法益の数量の喰違いについて、

【102】「被告人の自白と補強証拠と相待つて全体として犯罪事実を認定し得られる場合には被告人の自白の各部分について、一々補強証拠を要するものではないから被害届書をもつて補強証拠とする場合にそれに記載された被害物件が正確に被告人の自白に一致することを必要とするものではない。それゆえ被害物件の一部が被告人の自白と一致しない場合でも被害届書と相待つて被告人の自白が架空なものでないと認められる以上その被害届書は補強証拠となり得るものといわなければならぬ」(最判昭二八・五・二九 刑集七・五・一一三二)。

同様に名古屋高判昭和二四年五月二八日(特一・二二)は、贓物故買における贓物の数量が、被告人の自白によれば蒲団九枚であり、参考人の供述によると蒲団八枚である場合に原審が被告人の自白によつて蒲団九枚を認定したのに対して参考人の供述は「蒲団一枚の差を除いては被告人の自白と一致しているので十分に被告人の自白を支持するに足るものである。」としている。又同じく名古屋高判昭和二五年三月二三日(特六・二三)も、窃盗被害物件の数量が自白によれば硫安六叺であり、盗難届によれば四叺である場合に原審が自白によつたのに対して「この程度の数量の差異は、いまだ右盗難届の証拠力を否定するものでない。」としている。

(ハ)　其の他

【103】「上告論旨第三点は、被告人は目下逃走中の共犯者と二人で被害者を脅迫したと述べているのに、被害

者Aは一人の賊に脅迫されたと述べている。この食いちがいにつきいずれが真実かを確定しない原判決は審理不尽であり、Aに対する司法警察官の聴取書を証拠としたことも違法である、というのである。しかし被告人一人で脅迫したとしても、また共犯者と二人で脅迫したとしても、本件における被告人の強盗共同正犯たる罪責に影響するものでなく、審理不尽の違法ありとは言えない。そして被害者が脅迫者を一人と認識したという供述を証拠に採つたのは被告人が脅迫者であるとの自白を補強するゆえんであつて、証拠の食いちがいと言い得ず、論旨は理由がない」(最判昭二四・七・二二刑集三・八・一三六〇)。

以上概観した裁判所の見解において、「何が重大な喰違いであるか」は必ずしも明白でない。それは結局、自由心証の問題であり、経験則の適用さるべき場であるからである。従つて判例の集積によつて段々に補強証拠の証明力が Sein 化され、明確の度を加えてゆくであろうが、ただ次の事だけは言えるであろう。すなわち、補強を要する範囲以外の喰違いは、それが引いて、自白にかかる事実に対して、補強証拠が関連性を保ち得なくならない限りは、重大な喰違いではないということ、及び、補強を要する範囲内においては、補強証拠は、自白を離れてもある程度の証明力を持ち、自白と綜合して完全な心証を得せしめるものでなければならないということである。甚だ抽象的な、明確性を欠く標準ではあるが、現在の段階では此の程度で満足しなければならないのではないか。

四　補強証拠の取調の時期

刑訴三〇一条は「第三百二十一条及び第三百二十四条第一項の規定により証拠とすることができる被告人の供述が自白である場合には、犯罪事実に関する他の証拠が取り調べられた後でなければ、その取調を請求することができない。」と規定している。本条の趣旨とするところは、公判廷外の自白を、他の証拠よりさきに取調べることによつて、裁判官の心証に予断を生じ、とくに補強証拠の範囲、その証明力の程度に関して、あるいは恣意がひそむやも知れないことを防止するにあるとされている(井上・原論二〇九頁)。すなわち自白によつて犯罪事実を認定するためには補強証拠を必要とするという実体面の要請が、ある程度手続面にも反映して此の規定がおかれたものと解されている(団藤・新綱要五訂二〇二頁)。そこで此の規定の解釈に関して次のような問題が提出される。その一は被告人が公判の冒頭において自白した場合はどうなるか。その二は、此の規定は自白の取調請求の時期に関する規定であるか又は自白の取調の時期に関する規定であるか、その三は此の規定に言う「犯罪事実に関する他の証拠」とはどの範囲のものを指すのか等々(横井・判例自白法九八頁)。補強証拠に関係するのは此の第三の問題である。

先ず被告人が公判廷において自白した場合には、此の規定の適用の余地は存しない(東京高判昭二四・一二・二七、横井・前掲九八頁、栗本・「自白」刑事法講座六巻一一七六頁による)。これに対して高松高判昭和二五年二月二日(特九・二〇五)、名古屋高判昭和二五年四月一七日(特八・五〇)等は、被告人の公判廷外の自白の取調を、証拠調の段階の最初に行つたのは違法であるが、被告人が公判の冒頭で自白しているから、予断を生ずるおそれがなく、その違法は判決に影響を及ぼさないとしているが、前者の方が妥当であるのは言うまでもない。

第二の問題については、判例は此の規定は自白の取調に関する規定であつて、後にしなければならないのは取調であつて請求自体は前に行つても差支えないと解している。しかし差支えないというのは結論的に言えることであつて、高等裁判所の判例ではかかる請求は適法であるとするもの(大阪高判昭二四・九・七特二・二二、名古屋高判昭二五・四・一九特七・一〇〇、同昭二五・四・二八特八・一三二、東京高判昭二五・七・一七特一〇・三五等々)と、違法ではあるが判決に影響を及ぼさないとするもの(名古屋高判昭二五・二・九刑集三・一・四一、同昭二四・一〇・八特一・二三五、仙台高判昭二五・四・一九特九・一五五等々)と、違法ではあるが相手方の異議申立がなければ責問権を放棄したものとみて、その瑕疵が治癒されるとするもの(東京高判昭二五・三・四特八・三八等)との三つの見解が対立している。これに対して最高裁判所は「被告人の供述書（自白）よりも前に犯罪事実に関する他の証拠が取り調べられているかぎり右供述書の取調請求が他の証拠の取調請求と一括してなされていても、刑訴第三〇一条に違反しない」（最決昭二六・五・三一刑集五・六・一二一一、同旨最決昭二六・六・一刑集五・七・一二三二）とすることによつて、右の高裁判例の第一説を正当なものとした。

第三の問題については、「犯罪事実に関する他の証拠」とは自白に対する補強証拠のことである。刑訴三〇一条は、自白に補強証拠を必要とする憲法上並に刑訴法上の要請を手続面において保障するために、自白の証拠調を最初にして先に予断をいだくことのないようにするのが目的であるから、自白よりも先に取調べられなければならない証拠の範囲は、そこから目的論的に決定される、すなわち法の要求する程度の補強証拠を、自白より先に取調べれば足るのであつて、自白以外の全ての証拠を、自白より先に取調べなければならないというのではない。

此の点に関しては判例上殆ど争がないが、前述のように、法の要求する補強証拠の内容については異論があり、従つて、夫々の見解の異るにつれて、自白より先に取調べなければならない証拠の範囲にも広狭の差を生ずる。

【104】「同条（刑訴三〇一）に定める『犯罪事実に関する他の証拠が取り調べられた』後という意味についても、必ずしも犯罪事実に関する他のすべての証拠が取り調べられた後という意味ではなく、自白を補強しうる証拠が取り調べられた後であれば足りると解するのを相当とする」（最決昭二六・六・一刑集五・七・一二三二）。

【105】「そのいわゆる犯罪事実に関する他の証拠が取り調べられた後とは必ずしも犯罪事実に関する他のすべての証拠が取り調べられた後という意味ではなく、自白の補強となるべき何等かの証拠が取り調べられた後

であればよいと解す」（名古屋高判昭二五・二・一五特六・一〇四、同旨、札幌高判昭二五・一二・一二高刑集三・四・六三二）。

以上の判決例においては、例によつて、補強の範囲があいまいであり、従つてまず取調べられなければならない証拠の範囲が狭きに失する可能性がある。

【106】「刑事訴訟法第三〇一条に『犯罪事実に関する他の証拠』と言うのは右罪体の存在を明らかにする証拠のことを言うているのであつて、当該公訴犯罪に関聯する一切の事実に関する証拠を意味しているのではない。……検察官は同条に基き、自白の証拠調に先立ち所謂罪体の存在についての提出にその遺憾なきを期すべきではあるが、その証明ありとする判断は挙げて裁判所の経験則による自由な判断に任されているのであつて、裁判所が合理的に判断した蓋然的な一応の心証を得た限りにおいては自白の証拠提出を許容し、これが証拠調をすることができるのである」（東京高判昭二五・四・二八特一〇・一八）。

此の判例はまず取り調べられなければならない証拠の範囲は罪体に関するものであることを明にし、次いで自白の証拠提出を許容しても、予断を生ずるおそれがあるかないかの判断は、挙げて裁判所の自由心証の問題であるとするのである。正当であるといわねばならない。

五　あとがき

以上の外、補強証拠に関する問題は多々あり、殊に「補強証拠の欠けた場合と破棄の理由」については多く論じなければならないのであるが、与えられた紙数の都合上、一応ここで筆をおく。補強証拠に関する判例は、その数が非常に多く、しかも判例集に登載されていないもので注目に値するものも少くないようであるが、充分参照することができなかつた。又判例の趣旨を誤解した点もあつたかもしれず、それはあげて筆者の無能の故であり、裁判官各位の御寛容をお願いしたい。

高等裁判所判例

判　例　索　引

最高裁判所判例

著者紹介

平場安治（ひらば やすはる） 京都大学教授

中武靖夫（なかぶ やすお） 大阪大学助教授

総合判例研究叢書　刑事訴訟法（1）

昭和32年3月20日　初版第1刷印刷
昭和32年3月25日　初版第1刷発行

著作者　平場安治
　　　　中武靖夫

発行者　江草四郎

印刷者　山根正男

東京都千代田区神田神保町2ノ17
発行所　株式会社　有斐閣
電話九段(33) 0323・0344
振替口座東京370番

印刷・株式会社三秀舎　製本・稲村製本所

総合判例研究叢書 刑事訴訟法(1)
(オンデマンド版)

2013年2月15日　発行

著　者　平場　安治・中武　靖夫
発行者　江草　貞治
発行所　株式会社 有斐閣
〒101-0051　東京都千代田区神田神保町2-17
TEL　03(3264)1314(編集)　03(3265)6811(営業)
URL　http://www.yuhikaku.co.jp/

印刷・製本　株式会社 デジタルパブリッシングサービス
URL　http://www.d-pub.co.jp/

AG527

ISBN4-641-91053-7
Printed in Japan